#수능독해첫걸음
#내가바로독해강자

바로 읽는
배경지식 독해

바로 시리즈 검토에 도움을 주신 분들

홍정환 선생님(영어의 힘)
박용철 선생님(PK대치스마트에듀)
이성형 선생님(해욺학원)
주은숙 선생님(원클래스 학원)
윤지원 선생님(고려학원)
김지혜 선생님(Epic English)
채효석 선생님(빅터 아카데미)
박주경 선생님(PK대치스마트에듀)
원영아 선생님(멘토영어)
김란숙 선생님(샘앤아이영어)
김도희 선생님(원클래스 학원)
김현욱 선생님(동광학원)
박지혜 선생님(다이나믹 학원)
박은영 선생님(PK대치스마트에듀)
원지윤 선생님(아잉카영어)
이차은 선생님(BOB영어)
Kyle 선생님(한스터디)
이형언 선생님(훈성학원)
이민정 선생님(BMA 어학원)

원어민 검토

Stephanie Berry, Matthew D. Gunderman

Chunjae Makes Chunjae

[바로 읽는 배경지식 독해] LEVEL 1

기획총괄 장경률
편집개발 김윤미, 김희윤, 이민선
디자인총괄 김희정
표지디자인 윤순미, 안채리
내지디자인 디자인뮤제오
제작 황성진, 조규영

발행일 2022년 5월 15일 2판 2023년 9월 1일 2쇄
발행인 (주)천재교육
주소 서울시 금천구 가산로9길 54
신고번호 제2001-000018호
고객센터 1577-0902
교재 내용문의 (02)3282-8834

※ 정답 분실 시에는 천재교육 교재 홈페이지에서 내려받으세요.

중학부터 시작하는 수능 독해 첫걸음

바로 읽는 배경지식 독해

LEVEL 1

Draw Your Future Name Card

Picture Here

My Name ____________________

My Job ____________________

How to Use

영어 독해를 잘하기 위해서는 단순히 영어 문장만 읽을 줄 안다고 해서 다 되는 것이 아닙니다.
영어 문장을 읽어도 도무지 무슨 말인지 모르는 경우가 많기 때문입니다.

바로 읽는 배경지식 독해 시리즈는 여러분의 독해 실력 향상을 위해 다음과 같이 구성하였습니다.

배경지식 (Background Knowledge) + 어휘 (Vocabulary)

이 책을 통해 배경지식과 어휘 실력을 키워 나간다면,
수능 영어에서 출제되는 다양한 주제의 글들도 쉽게 이해할 수 있습니다.

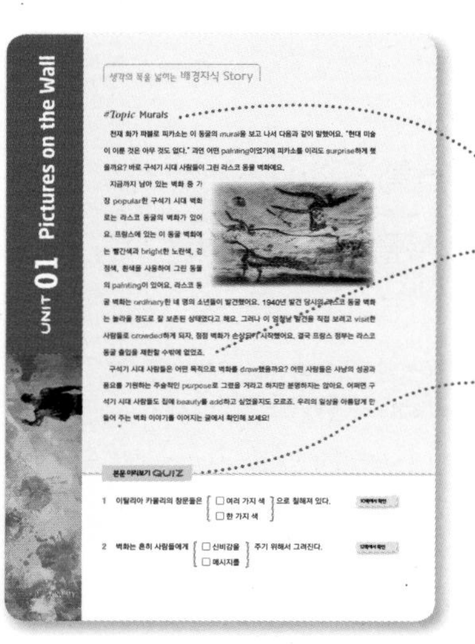

생각의 폭을 넓히는 배경지식 Story

- 재미있는 이야기를 통해, 주제에 관해 미리 생각해 보고 독해를 준비합니다.
- 읽을수록 어휘 실력도 향상됩니다. 잘 모르는 어휘는 Vocabulary에서 확인합니다.
- **본문 미리보기 QUIZ** 를 통해 배울 내용을 간단한 퀴즈로 미리 만나보세요.

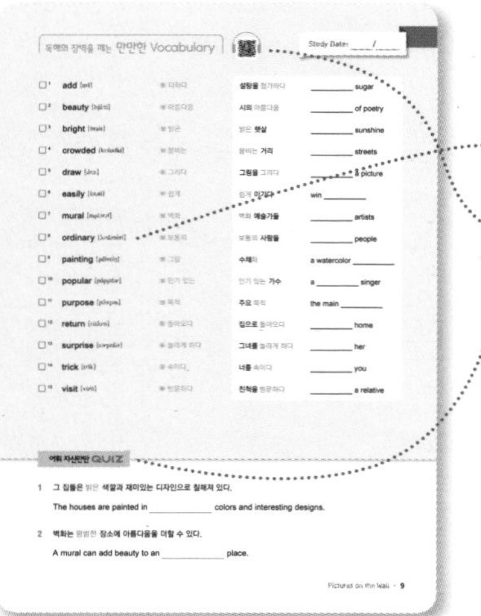

독해의 장벽을 깨는 만만한 Vocabulary

- 본문에 나오는 15개의 어휘를 미리 학습합니다.
- QR코드 제공: native speaker의 음성으로 단어를 들어보세요.
- **어휘 자신만만 QUIZ** 를 통해 실력을 간단히 체크합니다.

본격적인 독해 실력 향상을 위한 Reading 01, 02

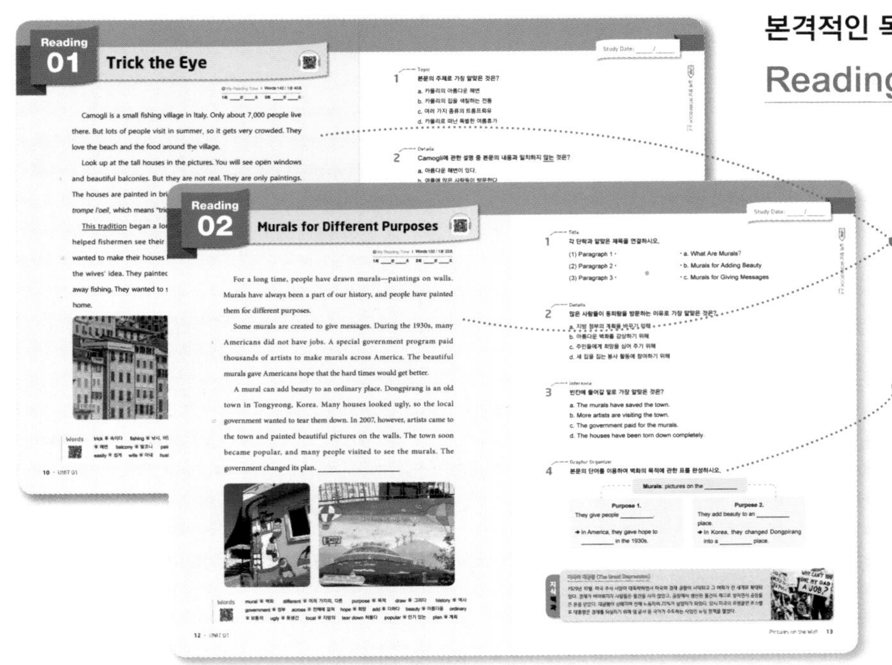

- 1개의 Unit이 통합교과적 연관성을 지닌 두 개의 재미있는 이야기로 구성되어 있습니다.
- 체계적인 독해를 위한 main idea → details → summary 등과 같은 문제로 구성되어 있습니다.

독해의 내공을 키우는 마무리 학습

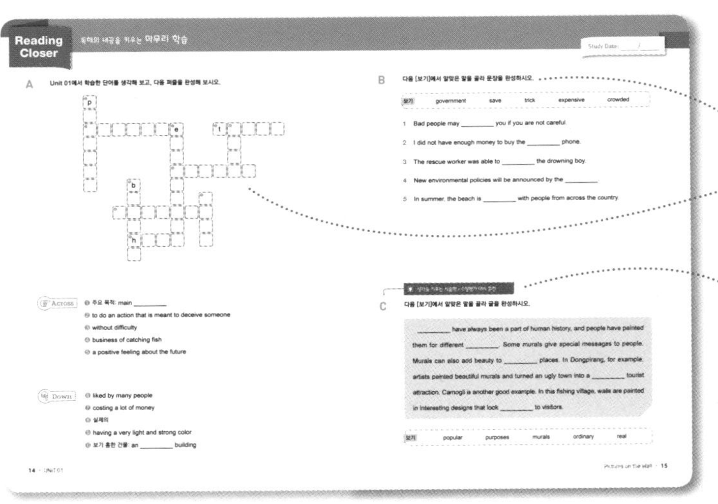

- Unit에서 배운 어휘를 종합 점검합니다.
- crossword puzzle을 통한 재미있는 어휘 학습을 합니다.
- 생각을 키우는 서술형 • 수행평가 대비 훈련

앞에서 배운 2개의 Reading을 종합적으로 이해 및 평가합니다. 서술형 쓰기 연습을 통해 다양한 종류의 시험을 대비합니다.

실력 향상 WORKBOOK

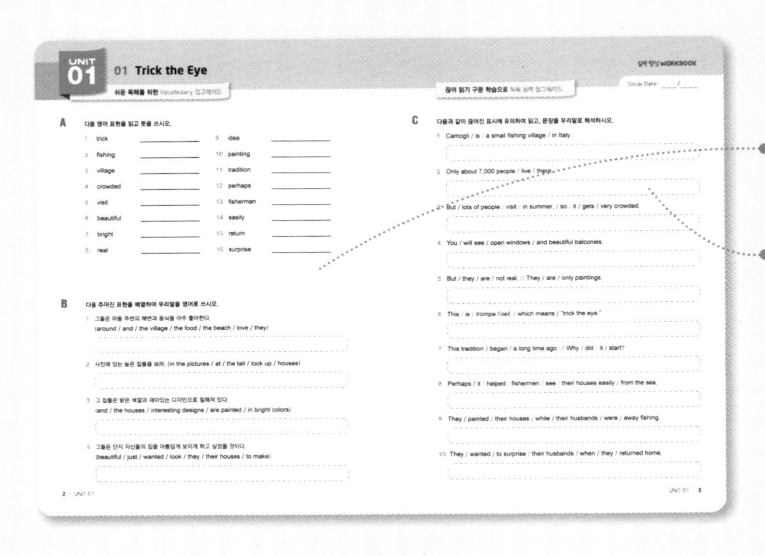

- 각 Reading마다 실력 향상을 위한 워크북이 제공됩니다.
- 쉬운 독해를 위한 Vocabulary와 끊어 읽기 구문 학습으로 여러분의 독해 실력을 한층 더 업그레이드 할 수 있습니다.

Table of Contents

LEVEL 1

LEVEL 1

"Live always in the best company when you read."

독서할 때 당신은 항상 가장 좋은 친구와 함께 있다.

시드니 스미스 Sydney Smith

Background Knowledge Reading

Self Study Management Table 자기 주도 학습 관리표

Unit	Start	Finish	Self Check				My Comment
	공부 시작	공부 끝	배경지식을 많이 쌓았어요!	어휘 실력이 늘었어요!	독해에 자신감이 +1 늘었어요!	모든 문제들을 다 풀었어요!	내 자신에게 한 마디!
01	월 일	월 일	😀 🙂 😐	😀 🙂 😐	😀 🙂 😐	😀 🙂 😐	
02	월 일	월 일	😀 🙂 😐	😀 🙂 😐	😀 🙂 😐	😀 🙂 😐	
03	월 일	월 일	😀 🙂 😐	😀 🙂 😐	😀 🙂 😐	😀 🙂 😐	
04	월 일	월 일	😀 🙂 😐	😀 🙂 😐	😀 🙂 😐	😀 🙂 😐	
05	월 일	월 일	😀 🙂 😐	😀 🙂 😐	😀 🙂 😐	😀 🙂 😐	
06	월 일	월 일	😀 🙂 😐	😀 🙂 😐	😀 🙂 😐	😀 🙂 😐	
07	월 일	월 일	😀 🙂 😐	😀 🙂 😐	😀 🙂 😐	😀 🙂 😐	
08	월 일	월 일	😀 🙂 😐	😀 🙂 😐	😀 🙂 😐	😀 🙂 😐	
09	월 일	월 일	😀 🙂 😐	😀 🙂 😐	😀 🙂 😐	😀 🙂 😐	
10	월 일	월 일	😀 🙂 😐	😀 🙂 😐	😀 🙂 😐	😀 🙂 😐	
11	월 일	월 일	😀 🙂 😐	😀 🙂 😐	😀 🙂 😐	😀 🙂 😐	
12	월 일	월 일	😀 🙂 😐	😀 🙂 😐	😀 🙂 😐	😀 🙂 😐	
13	월 일	월 일	😀 🙂 😐	😀 🙂 😐	😀 🙂 😐	😀 🙂 😐	
14	월 일	월 일	😀 🙂 😐	😀 🙂 😐	😀 🙂 😐	😀 🙂 😐	
15	월 일	월 일	😀 🙂 😐	😀 🙂 😐	😀 🙂 😐	😀 🙂 😐	
16	월 일	월 일	😀 🙂 😐	😀 🙂 😐	😀 🙂 😐	😀 🙂 😐	

My Comment에는 공부하고 나서 느낀 소감을 간단히 적어보세요.

중학에서 시작하는 수능 독해 첫걸음

바로 읽는 배경지식 독해

LEVEL 1

UNIT 01 Pictures on the Wall

생각의 폭을 넓히는 배경지식 Story

#Topic Murals

천재 화가 파블로 피카소는 이 동굴의 mural을 보고 나서 다음과 같이 말했어요. “현대 미술이 이룬 것은 아무 것도 없다.” 과연 어떤 painting이었기에 피카소를 이리도 surprise하게 했을까요? 바로 구석기 시대 사람들이 그린 라스코 동굴 벽화예요.

지금까지 남아 있는 벽화 중 가장 popular한 구석기 시대 벽화로는 라스코 동굴의 벽화가 있어요. 프랑스에 있는 이 동굴 벽화에는 빨간색과 bright한 노란색, 검정색, 흰색을 사용하여 그린 동물의 painting이 있어요. 라스코 동굴 벽화는 ordinary한 네 명의 소년들이 발견했어요. 1940년 발견 당시의 라스코 동굴 벽화는 놀라울 정도로 잘 보존된 상태였다고 해요. 그러나 이 엄청난 발견을 직접 보려고 visit한 사람들로 crowded하게 되자, 점점 벽화가 손상되기 시작했어요. 결국 프랑스 정부는 라스코 동굴 출입을 제한할 수밖에 없었죠.

구석기 시대 사람들은 어떤 목적으로 벽화를 draw했을까요? 어떤 사람들은 사냥의 성공과 풍요를 기원하는 주술적인 purpose로 그렸을 거라고 하지만 분명하지는 않아요. 어쩌면 구석기 시대 사람들도 집에 beauty를 add하고 싶었을지도 모르죠. 우리의 일상을 아름답게 만들어 주는 벽화 이야기를 이어지는 글에서 확인해 보세요!

본문 미리보기 QUIZ

1 이탈리아 카몰리의 창문들은 [□ 여러 가지 색 / □ 한 가지 색] 으로 칠해져 있다. 10쪽에서 확인

2 벽화는 흔히 사람들에게 [□ 신비감을 / □ 메시지를] 주기 위해서 그려진다. 12쪽에서 확인

독해의 장벽을 깨는 만만한 Vocabulary

Study Date: ____ / ____

□ 1	**add** [æd]	동 더하다	설탕을 첨가하다	________ sugar
□ 2	**beauty** [bjú:ti]	명 아름다움	시의 아름다움	________ of poetry
□ 3	**bright** [brait]	형 밝은	밝은 햇살	________ sunshine
□ 4	**crowded** [kráudid]	형 붐비는	붐비는 거리	________ streets
□ 5	**draw** [drɔ:]	동 그리다	그림을 그리다	________ a picture
□ 6	**easily** [í:zəli]	부 쉽게	쉽게 이기다	win ________
□ 7	**mural** [mjúərəl]	명 벽화	벽화 예술가들	________ artists
□ 8	**ordinary** [ɔ́:rdənèri]	형 보통의	보통의 사람들	________ people
□ 9	**painting** [péintiŋ]	명 그림	수채화	a watercolor ________
□ 10	**popular** [pápjələr]	형 인기 있는	인기 있는 가수	a ________ singer
□ 11	**purpose** [pə́:rpəs]	명 목적	주요 목적	the main ________
□ 12	**return** [ritə́:rn]	동 돌아오다	집으로 돌아오다	________ home
□ 13	**surprise** [sərpráiz]	동 놀라게 하다	그녀를 놀라게 하다	________ her
□ 14	**trick** [trik]	동 속이다	너를 속이다	________ you
□ 15	**visit** [vízit]	동 방문하다	친척을 방문하다	________ a relative

어휘 자신만만 QUIZ

1 그 집들은 밝은 색깔과 재미있는 디자인으로 칠해져 있다.

The houses are painted in ____________ colors and interesting designs.

2 벽화는 평범한 장소에 아름다움을 더할 수 있다.

A mural can add beauty to an ____________ place.

Reading 01 Trick the Eye

My Reading Time | Words 142 / 1분 40초

1회 ____분 ____초 2회 ____분 ____초

Camogli is a small fishing village in Italy. Only about 7,000 people live there. But lots of people visit in summer, so it gets very crowded. They love the beach and the food around the village.

Look up at the tall houses in the pictures. You will see open windows and beautiful balconies. But they are not real. They are only paintings. The houses are painted in bright colors and interesting designs. This is *trompe l'oeil*, which means "trick the eye."

This tradition began a long time ago. Why did it start? Perhaps it helped fishermen see their houses easily from the sea. Or they just wanted to make their houses look beautiful. Some people say that it was the wives' idea. They painted their houses while their husbands were away fishing. They wanted to surprise their husbands when they returned home.

Words

trick 통 속이다 fishing 명 낚시, 어업 village 명 마을 visit 통 방문하다 crowded 형 붐비는 beach 명 해변 balcony 명 발코니 painting 명 그림 bright 형 밝은 tradition 명 전통 fisherman 명 어부 easily 부 쉽게 wife 명 아내 husband 명 남편 surprise 통 놀라게 하다 return 통 돌아오다

LINK 실력 향상 WORKBOOK p.2

Topic

1 본문의 주제로 가장 알맞은 것은?

a. 카몰리의 아름다운 해변
b. 카몰리의 집을 색칠하는 전통
c. 여러 가지 종류의 트롱프뢰유
d. 카몰리로 떠난 특별한 여름휴가

Details

2 Camogli에 관한 설명 중 본문의 내용과 일치하지 않는 것은?

a. 아름다운 해변이 있다.
b. 여름에 많은 사람들이 방문한다.
c. 유명한 예술가들이 사는 곳이다.
d. 건물의 벽에 많은 그림이 그려져 있다.

Inference

3 밑줄 친 This tradition이 가리키는 것은?

a. Building tall houses
b. Surprising husbands
c. Having beautiful balconies
d. Painting houses beautifully

Summary

4 Complete the summary with the words in the box.

sea	painted	tradition	fishermen

There is an interesting ______ in Camogli. Houses are ______ in bright colors and interesting designs. This is called *trompe l'oeil*. The tradition probably helped ______ see their houses easily from the ______ or made their houses look beautiful.

지식백과

카몰리 생선 축제 (Camogli Fish Festival)

카몰리에서는 매년 5월 둘째 주 일요일에 카몰리 어부들의 수호성인 포르투나토를 기리는 생선 축제가 열린다. 전날 불꽃 축제로 시작되는 이 축제에는 직경 4미터에 무게가 28톤에 달하는 거대한 프라이팬으로 유명하다. 축제를 찾은 이들은 큰 프라이팬에서 통째로 튀겨낸 3톤의 신선한 생선과 해산물 요리를 즐길 수 있다.

생선 축제가 열리는 현장을 동영상으로 확인해 보세요. Time 1' 00''

Reading 02

Murals for Different Purposes

My Reading Time | Words 140 / 1분 40초

1회 ____분 ____초 2회 ____분 ____초

For a long time, people have drawn murals—paintings on walls. Murals have always been a part of our history, and people have painted them for different purposes.

Some murals are created to give messages. During the 1930s, many Americans did not have jobs. A special government program paid thousands of artists to make murals across America. The beautiful murals gave Americans hope that the hard times would get better.

A mural can add beauty to an ordinary place. Dongpirang is an old town in Tongyeong, Korea. Many houses looked ugly, so the local government wanted to tear them down. In 2007, however, artists came to the town and painted beautiful pictures on the walls. The town soon became popular, and many people visited to see the murals. The government changed its plan. ____________________

Words

mural 명 벽화 different 형 여러 가지의, 다른 purpose 명 목적 draw 동 그리다 history 명 역사 government 명 정부 across 전 …의 전역에 걸쳐 hope 명 희망 add 동 더하다 beauty 명 아름다움 ordinary 형 보통의 ugly 형 못생긴 local 형 지방의 tear down 허물다 popular 형 인기 있는 plan 명 계획

LINK 실력 향상 WORKBOOK p.4

1

Title

각 단락과 알맞은 제목을 연결하시오.

(1) Paragraph 1 •
(2) Paragraph 2 •
(3) Paragraph 3 •

• a. What Are Murals?
• b. Murals for Adding Beauty
• c. Murals for Giving Messages

2

Details

많은 사람들이 동피랑을 방문하는 이유로 가장 알맞은 것은?

a. 지방 정부의 계획을 바꾸기 위해
b. 아름다운 벽화를 감상하기 위해
c. 주민들에게 희망을 심어 주기 위해
d. 새 집을 짓는 봉사 활동에 참여하기 위해

3

Inference

빈칸에 들어갈 말로 가장 알맞은 것은?

a. The murals have saved the town.
b. More artists are visiting the town.
c. The government paid for the murals.
d. The houses have been torn down completely.

4

Graphic Organizer

본문의 단어를 이용하여 벽화의 목적에 관한 표를 완성하시오.

Murals: pictures on the ___________

Purpose 1.	**Purpose 2.**
They give people ___________. ➔ In America, they gave hope to ___________ in the 1930s.	They add beauty to an ___________ place. ➔ In Korea, they changed Dongpirang into a ___________ place.

지식백과

미국의 대공황 (The Great Depression)

1929년 10월, 미국 주식 시장이 대폭락하면서 미국의 경제 공황이 시작되고 그 여파가 전 세계로 확대되었다. 경제가 어려워지자 사람들은 물건을 사지 않았고, 공장에서 생산된 물건이 재고로 쌓이면서 공장들은 문을 닫았다. 대공황이 심해지며 전체 노동자의 25%가 실업자가 되었다. 당시 미국의 프랭클린 루스벨트 대통령은 경제를 되살리기 위해 댐 공사 등 국가가 주도하는 사업인 뉴딜 정책을 펼쳤다.

A Unit 01에서 학습한 단어를 생각해 보고, 다음 퍼즐을 완성해 보시오.

⑥ p
⑦ e
② t
⑨ b
⑤ h

Across

❶ 주요 목적: main ___________

❷ to do an action that is meant to deceive someone

❸ without difficulty

❹ business of catching fish

❺ a positive feeling about the future

Down

❻ liked by many people

❼ costing a lot of money

❽ 실제의

❾ having a very light and strong color

❿ 보기 흉한 건물: an ___________ building

Study Date: ______ / ______

B 다음 [보기]에서 알맞은 말을 골라 문장을 완성하시오.

보기	government	save	trick	expensive	crowded

1 Bad people may __________ you if you are not careful.

2 I did not have enough money to buy the __________ phone.

3 The rescue worker was able to __________ the drowning boy.

4 New environmental policies will be announced by the __________.

5 In summer, the beach is __________ with people from across the country.

생각을 키우는 서술형 • 수행평가 대비 훈련

C 다음 [보기]에서 알맞은 말을 골라 글을 완성하시오.

__________ have always been a part of human history, and people have painted them for different __________. Some murals give special messages to people. Murals can also add beauty to __________ places. In Dongpirang, for example, artists painted beautiful murals and turned an ugly town into a __________ tourist attraction. Camogli is another good example. In this fishing village, walls are painted in interesting designs that look __________ to visitors.

보기	popular	purposes	murals	ordinary	real

UNIT 02 Busy Bees

생각의 폭을 넓히는 배경지식 Story

#Topic Bees

윙윙거리며 날아다니는 bee를 보면 무서워하는 사람들이 많을 거예요. 벌은 sting으로 사람을 쏘기도 하지만 사실 우리에게 큰 도움을 주는 곤충이에요. 먼저 우리는 hive에서 달콤한 꿀을 얻어요. 또 벌들은 꿀을 모으기 위해서 날아다니는 동안 꽃가루를 전달하는 역할을 하죠. 하지만 최근에는 벌들이 많이 사라져서 열매를 맺게하는 식물의 수분이 어려워지고 있다고 해요. 농약의 과다 사용, 휴대 전화 등의 전자파 영향, 환경 오염 등 다양한 원인들이 거론되지만 확실하지는 않아요. 아인슈타인은 꿀벌이 사라진다면 인류는 4년 이내에 사라질 것이라고 경고했어요. 그만큼 벌은 우리에게 소중한 존재이죠.

벌들은 복잡한 위계 구조의 사회를 이루는 곤충이기도 해요. 한 벌집에는 한 마리의 여왕벌이 있는데, 이 여왕벌만이 알을 lay할 수 있어요. 나머지 다른 벌들은 먹이를 look for하거나 새끼 벌들을 기르고 벌집을 청소해요. 또한 적들로부터 벌집을 protect하기도 해요. 이렇게 각자의 역할을 열심히 perform하다보면 벌집의 규모가 점점 커져서 수만 마리에 이르는 대규모 집단을 이루기도 해요.

무시무시한 벌침만 떠올랐던 벌의 세계, 사실은 아주 신기하죠? 이어진 글에서 벌을 기르는 beekeeper의 이야기와 벌의 language에 대해서 좀 더 알아볼까요?

본문 미리보기 QUIZ

1 벌들은 [□ 여왕벌 / □ 꿀] 을 지키기 위해 적을 공격한다. 18쪽에서 확인

2 벌들은 먹이를 발견하면 [□ 춤을 춘다. / □ 소리를 낸다.] 20쪽에서 확인

독해의 장벽을 깨는 만만한 Vocabulary

Study Date: _______ / _______

□ 1	attack [ətǽk]	동 공격하다	적을 공격하다	__________ the enemy
□ 2	beekeeper [bíːkìːpər]	명 양봉가	양봉가로 일하다	work as a __________
□ 3	closely [klóusli]	부 자세히	자세히 읽다	read __________
□ 4	complex [kámplèks]	형 복잡한	복잡한 문제	a __________ problem
□ 5	farther [fáːrðər]	부 더 멀리	북쪽으로 더 멀리	__________ north
□ 6	hive [haiv]	명 벌집	벌집을 발견하다	find a __________
□ 7	language [lǽŋgwidʒ]	명 언어	외국어	a foreign __________
□ 8	lay [lei]	동 (알을) 낳다	알을 낳다	__________ an egg
□ 9	length [leŋkθ]	명 길이	줄의 길이	__________ of the line
□ 10	look for	찾다	먹이를 찾다	__________ food
□ 11	pattern [pǽtərn]	명 양식, 패턴	수면 패턴	a sleeping __________
□ 12	perform [pərfɔ́ːrm]	동 수행하다	업무를 수행하다	__________ a task
□ 13	place [pleis]	동 놓다, 배치하다	옆에 놓다	__________ on the side
□ 14	protect [prətékt]	동 보호하다	동물들을 보호하다	__________ animals
□ 15	sting [stiŋ]	명 (곤충의) 침	벌의 침	the __________ of a bee

어휘 자신만만 QUIZ

1 우리는 벌침으로부터 우리 자신들을 보호해야 한다.

We have to __________ ourselves from bee stings.

2 자세히 살펴보면, 당신은 벌들의 춤이 변하는 것을 발견할 것이다.

Watch __________, and you will find that the bees' dance changes.

Reading 01

Uncle Frank's New Hive

My Reading Time | Words 156 / 1분 45초

1회 ____분 ____초 2회 ____분 ____초

Uncle Frank is a beekeeper. He ordered a box of bees a month ago, and it finally arrived. I visited him last weekend and learned how to start a new hive.

Uncle Frank and I each wore a helmet with a net. We had to protect ourselves from bee stings. Uncle Frank sprayed sugar water on the bees in the paper box. This made their wings __________, so the bees couldn't fly for a few minutes. Then he looked for the queen bee in the box. The queen is important to the hive, and the other bees will attack to protect her. He carefully took her out of the box and placed her in a new hive which was made of wood. Next, Uncle Frank dumped the rest of the bees from the box into the hive. His work for the day was done. Soon, the queen would start laying eggs, and the hive would grow.

Words

hive 명 벌집 beekeeper 명 양봉가 order 동 주문하다 arrive 동 도착하다 net 명 망사, 그물
protect 동 보호하다 sting 명 (곤충의) 침 spray 동 뿌리다 sticky 형 끈적거리는 look for 찾다
attack 동 공격하다 place 동 놓다 be made of …로 구성되다 dump 동 쏟아붓다 lay 동 (알을) 낳다

LINK 실력 향상 WORKBOOK p.6

Topic

1 **본문의 주제로 가장 알맞은 것은?**

a. 삼촌의 흥미로운 취미
b. 벌집의 복잡한 구조
c. 벌에 쏘이는 것의 위험성
d. 새 벌집을 만드는 과정

Inference

2 **본문의 빈칸에 들어갈 말로 가장 알맞은 것은?**

a. weak
b. sticky
c. sweet
d. strong

Details

3 **문장을 읽고 본문의 내용과 일치하면 T, 일치하지 않으면 F를 쓰시오.**

(1) ______ I put on a helmet with a net to protect myself from bee attacks.
(2) ______ Uncle Frank sprayed sugar water on the new hive.
(3) ______ Uncle Frank moved the queen bee into a paper box.

Summary

4 **Complete the summary with the words in the box.**

bees	hive	fly	queen

Uncle Frank showed the writer how to start a new __________. He made the bees unable to __________ by spraying sugar water on them. Then he moved the __________ bee into a new wooden hive. Finally, he put all the other __________ in the hive.

지식백과

세계 벌의 날 (World Bee Day)

5월 20일은 UN이 정한 '세계 벌의 날'이다. 전 세계인에게 벌을 보호하는 것이 얼마나 중요한지 알리고 구체적인 행동을 촉구하기 위해 만든 날이다. 현재 우리 식량 자원의 80~90%가 벌의 수분을 통해 생산되고 있다. 하지만 꿀벌의 개체 수가 세계 경제와 농업에 위협이 될 만큼 빠른 속도로 감소하고 있다. 그 원인은 서식지 파괴, 공기 오염, 지구 온난화, 살충제 등 다양하다.

Reading 02

Why Do Bees Dance?

My Reading Time | Words 149 / 1분 40초

1회 ___분___초 2회 ___분___초

Why do bees dance? Watch closely, and you will find that their dance changes. In fact, dancing is their language. It is very complex. The worker bee goes out to look for food. When it finds food, it returns and performs one of two dances. If the food is within 50 to 75 meters, the bee does a "round" dance. It runs in a small circle to the left first and then back to the right. The bee repeats this pattern several times.

When the food is farther away, the bee does a "waggle" dance. First, it runs toward the food while it waggles or moves its back end. Then it returns to the starting point and repeats the waggle dance. The length of the waggle shows how far away the food is. For example, if the bee waggles for 4 seconds, the food is about 4,400 meters away.

Round Dance

Waggle Dance

Words

closely 부 자세히 in fact 사실은 language 명 언어 complex 형 복잡한 perform 동 수행하다 within 전 이내에 round 형 둥근 circle 명 원 repeat 동 반복하다 pattern 명 양식, 패턴 several 형 몇몇의 farther 부 더 멀리 waggle 동 흔들다 toward 전 …을 향하여 length 명 길이

Study Date: ____ / ____

LINK 실력 향상 WORKBOOK p.8

Title

1 **본문의 다른 제목으로 가장 알맞은 것은?**

a. The Language of Bees
b. The Round Dance
c. The Complex Waggle Dance
d. The Best Food for Bees

Inference

2 **벌의 춤으로부터 추론할 수 있는 내용으로 가장 알맞은 것은?**

a. 먹이의 종류
b. 먹이의 양
c. 먹이까지의 거리
d. 벌의 수

Details

3 **일벌에 관한 설명 중 본문의 내용과 일치하는 것은?**

a. 항상 같은 종류의 춤을 춘다.
b. 둥근 춤을 출 때 큰 원을 그린다.
c. 흔들기 춤을 출 때 보통 머리를 흔든다.
d. 먹이가 멀리 있을 때 흔들기 춤을 춘다.

Graphic Organizer

4 **본문의 단어를 이용하여 벌들의 춤에 관한 표를 완성하시오.**

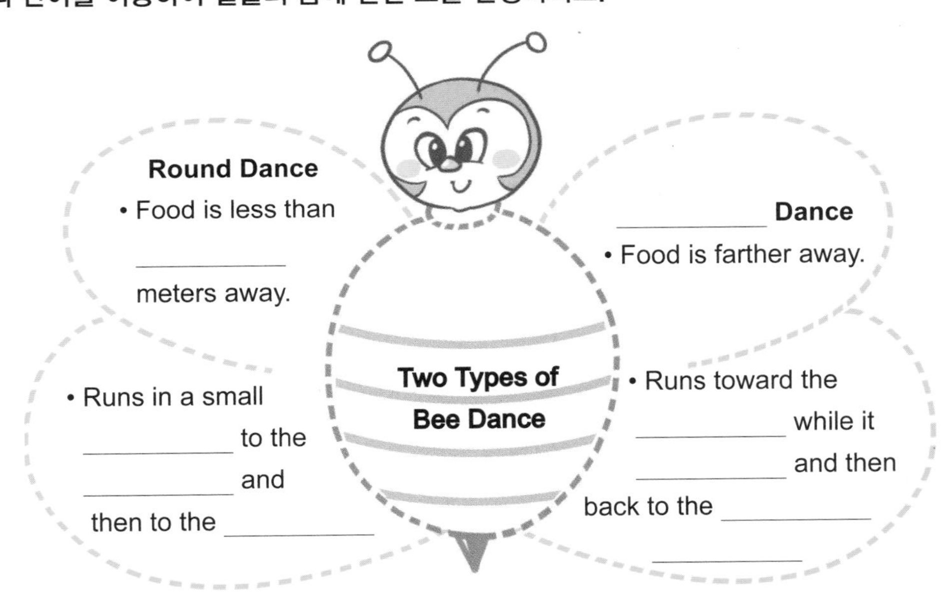

Two Types of Bee Dance
Round Dance
• Food is less than ________ meters away.
• Runs in a small ________ to the ________ and then to the ________
________ Dance
• Food is farther away.
• Runs toward the ________ while it ________ and then back to the ________ ________

지식백과

꿀벌을 무서워하는 코끼리

벌은 춤으로 의사소통하는 것 외에도 페로몬(pheromone)이라는 분비물을 사용하여 다른 벌들을 불러 모아 벌집을 방어하거나, 어린 벌의 성장을 늦추어 일벌의 수를 조절하기도 한다. 또한 위협을 느꼈을 때 페로몬을 방출하는데 코끼리는 벌의 이 페로몬 향에 뒷걸음질 친다고 한다. 그래서 아프리카에서는 농작물 울타리 주변에 벌통을 놓아 코끼리가 농작물을 훼손하는 것을 막고 있다.

꿀벌들이 페로몬으로 벌집을 방어하는 모습을 동영상으로 확인해 보세요. Time 4' 19''

Reading Closer 독해의 내공을 키우는 마무리 학습

A **Unit 02에서 학습한 단어를 생각해 보고, 다음 퍼즐을 완성해 보시오.**

Across

❶ a person who raises bees

❷ shaped like a circle

❸ 공격하다

❹ very carefully

❺ The bees live in a __________.
(벌들은 벌집에서 살고 있다.)

Down

❻ to come or go back again

❼ to keep something or someone from being harmed

❽ 먹이를 찾다: __________ for food

❾ 흔들다

❿ to produce an egg out of the body

Study Date: ____ / ____

B 다음 [보기]에서 알맞은 말을 골라 문장을 완성하시오.

보기	complex	repeat	dump	attack	protect

1 The enemy will __________ the town to destroy it.

2 Please do not __________ trash into the sea.

3 We should __________ the environment for future generations.

4 The math problem was very __________, so I could not solve it.

5 The teacher asked students to listen carefully and __________ after her.

생각을 키우는 서술형 • 수행평가 대비 훈련

C 다음 네모 안에서 알맞은 말을 골라 글을 완성하시오.

Uncle Frank knows a lot about bees. First, he knows how to start a new [hive / net] safely. He wears a helmet and [sprays / kills] bees with sugar water. He places the queen bee in a new box and helps her [eat / lay] eggs there. Also, Uncle Frank understands bees' dance [language / history]. He knows that bees communicate with one another about food in a special way. When bees find food, they [learn / perform] different dances to say where the food is.

생각의 폭을 넓히는 **배경지식 Story**

#Topic Mexico

애니메이션 영화 「코코(Coco)」를 아시나요? 이 영화를 보면 멕시코인들이 '죽은 자의 날'을 어떻게 준비하고 즐기는지를 엿볼 수 있어요. 제단 위에 돌아가신 조상의 사진을 올려놓고 테이블을 예쁘게 **decorate**하며, 조상의 **grave**를 방문하고 그들을 추억하죠. 또한 길거리를 **skeleton** 복장으로 **parade**하기도 하죠. 이처럼 '죽은 자의 날'은 멕시코인들의 독특한 문화를 담고 있어 2008년에 유네스코 인류 무형 문화유산 목록에 등재되었어요.

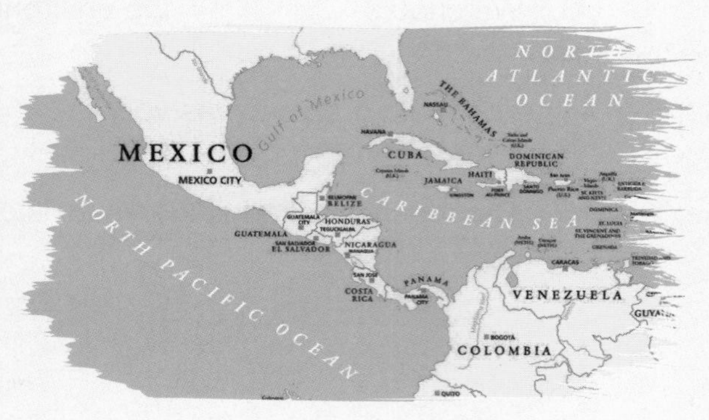

멕시코는 축구를 잘하는 나라로 알려져 있어요. 유명한 화가로는 프리다 칼로가 있죠. 멕시코의 **capital**인 멕시코시티는 오래전에 아즈텍 문명이 꽃피우던 자리예요. 1520년에 스페인의 침공으로 찬란한 아즈텍 문명은 **destroy**되었고, 스페인의 언어와 풍습이 원주민들에게 크게 **influence** 했어요. 이제 원주민들의 언어는 거의 사라지고 스페인어가 멕시코의 **official** 언어가 되었죠. 우리나라도 일본으로부터 **independence**하지 않았다면 이들처럼 우리의 고유 언어도 역사 속으로 사라졌겠죠? 그럼 이제 아즈텍 문명이 꽃피던 멕시코와 그들의 명절 중 하나인 '죽은 자의 날'에 대해 알아볼까요?

본문 미리보기 QUIZ

1 멕시코시티는 본래 [☐ 아즈텍 사람들 / ☐ 스페인 사람들]에 의해 건설된 도시이다. 26쪽에서 확인

2 '죽은 자의 날'에 멕시코 사람들은 무덤을 [☐ 촛불과 꽃 / ☐ 술과 음식]으로 장식한다. 28쪽에서 확인

독해의 장벽을 깨는 만만한 Vocabulary

Study Date: ______ / ______

☐ 1	**achieve** [ətʃíːv]	동 달성하다	목표를 달성하다	________ a goal
☐ 2	**be located in**	…에 위치하다	서울에 위치하다	________ Seoul
☐ 3	**capital** [kǽpitəl]	명 수도	한국의 수도	the ________ of Korea
☐ 4	**cultural** [kʌ́ltʃərəl]	형 문화의	문화의 중심지	the ________ center
☐ 5	**decorate** [dékərèit]	동 꾸미다	표면을 장식하다	________ the surface
☐ 6	**destroy** [distrɔ́i]	동 파괴하다	도시를 파괴하다	________ the city
☐ 7	**grave** [greiv]	명 무덤	이름 없는 무덤	a nameless ________
☐ 8	**hide** [haid]	동 숨기다	편지를 숨기다	________ the letter
☐ 9	**holiday** [hálidèi]	명 공휴일	여름휴가	a summer ________
☐ 10	**independence** [indipéndəns]	명 독립	독립 기념일	________ Day
☐ 11	**influence** [ínfluəns]	동 영향을 주다	깊은 영향을 주다	deeply ________
☐ 12	**official** [əfíʃəl]	형 공식적인	공식 언어	an ________ language
☐ 13	**parade** [pəréid]	동 행진하다	밖에서 행진하다	________ outside
☐ 14	**skeleton** [skélitən]	명 뼈, 해골	공룡의 뼈대	a dinosaur ________
☐ 15	**volcano** [valkéinou]	명 화산	활화산	an active ________

어휘 자신만만 QUIZ

1 그 도시는 멕시코 계곡에 위치해 있다.

The city is ______________ in the Valley of Mexico.

2 그들은 탁자를 깨끗하게 하고 설탕으로 만든 두개골로 집을 장식한다.

They clean the table and ______________ their homes with sugar skulls.

Reading 01

The Capital of Mexico

My Reading Time | Words 133 / 1분 30초

1회 ____분____초 2회 ____분____초

Mexico City is the capital of Mexico. It is located in the Valley of Mexico. It is at least 2,200 meters above sea level, and there are high mountains and volcanoes around it. It has a land area of 1,485 square kilometers. It is the largest city in the country. It is also the political and cultural center of the country. Almost nine million people live there. 5

The city was originally built by the Aztecs in 1325. In 1519, however, it was completely destroyed by the Spanish who crossed the Atlantic Ocean to rule Mexico. The city was rebuilt and named Mexico City in 1524.

10 Mexico was under Spanish rule. It achieved independence in 1821. Spain has influenced Mexico greatly. Today, Spanish is the official language of Mexico, and most Mexicans are Catholic.

Zocalo Square in Mexico
멕시코시티 중심부에 있는 소칼로 광장 주변에는 메트로폴리타나 대성당과 대통령 궁이 둘러싸고 있다.

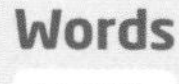

Words

capital 명 수도 be located in …에 위치하다 at least 최소한 volcano 명 화산 area 명 면적, 지역 political 형 정치적인 cultural 형 문화의 originally 부 원래 completely 부 완전히 destroy 동 파괴하다 cross 동 건너다 achieve 동 이루다, 달성하다 independence 명 독립 influence 동 영향을 주다 official 형 공식적인

Study Date: ______ / ______

LINK 실력 향상 WORKBOOK p.10

Title
1 각 단락과 알맞은 제목을 연결하시오.

(1) Paragraph 1 •   • a. Spanish Influence on Mexico

(2) Paragraph 2 •   • b. Mexico City, the Capital of Mexico

(3) Paragraph 3 •   • c. History of Mexico City

Details
2 Mexico City에 관한 설명 중 본문의 내용과 일치하지 않는 것은?

a. 대서양 해안에 위치해 있다.

b. 높은 산으로 둘러싸여 있다.

c. 16세기에 스페인에 의해 파괴되었다.

d. 1524년에 현재의 이름을 얻었다.

Words
3 밑줄 친 rule의 뜻으로 가장 알맞은 것은?

a. name   b. capital   c. control   d. independence

Summary
4 Complete the summary with the words in the box.

Aztecs	capital	Spanish	largest

Hi. I'm Jose. I live in Mexico City. It's the __________ of Mexico. Around nine million people live here. It's the __________ city in Mexico. The city was first built by the __________ in 1325. However, it was destroyed by the __________ in 1519. It was rebuilt five years later and got its present name.

지식백과

멕시코시티에 살던 고대 원주민, 아즈텍족(Aztecs)

아즈텍족(Aztecs)은 16세기 초 멕시코 고원에서 강대한 국가를 이루었던 고대 원주민이었다. 현재의 멕시코시티에 도시 국가를 세운 뒤 농업과 주변 종족과의 전쟁을 통해 번영을 누렸으며, 아즈텍 문명이라는 독자적 문명을 키웠다. 1520년 에스파냐군에게 정복되었으며, 현재 멕시코시티 부근에는 아즈텍 언어와 풍습을 지닌 인디언 부락이 있지만 대부분 가톨릭과 에스파냐 문화에 동화되었고 혼혈이 많은 편이다.

Reading 02

Day of the Dead

My Reading Time | Words 144 / 1분 40초

1회 ____분 ____초 2회 ____분 ____초

The Day of the Dead is a holiday in Mexico. It falls on November 1 and 2. It is a day to remember dead family members. It is like *Chuseok* in Korea.

Families get together and pray for their dead family members. They believe that the dead are going to visit them on that night. So people build special tables in their homes and decorate them with sugar skulls, flowers, and favorite foods of the dead. At midnight, families visit graves. They clean them and decorate them with flowers and candles. They tell stories about dead family members.

Many people dress up as skeletons and parade through the streets. Some people eat "bread of the dead." It often looks like a skull, and a toy skeleton is usually hidden inside it. They believe that the person who bites the toy will have good luck.

Words

holiday 명 공휴일 remember 동 기억하다 get together 모이다 pray 동 기도하다 decorate 동 꾸미다 skull 명 두개골 midnight 명 한밤중 grave 명 무덤 dress up 변장을 하다 skeleton 명 해골 parade 동 행진하다 usually 부 보통, 대개 hide 동 숨기다 believe 동 믿다 bite 동 물다

LINK 실력 향상 WORKBOOK p.12

Main Idea

1 본문의 요지로 가장 알맞은 것은?

a. On the Day of the Dead, Mexicans have a lot of fun.
b. Mexicans prepare many different foods for the dead.
c. Mexicans can talk with the dead on the Day of the Dead.
d. The Day of the Dead is a day to think about dead family members.

Details

2 Day of the Dead에 관한 설명 중 본문의 내용과 일치하지 않는 것은?

a. 11월 중에 있는 멕시코의 공휴일이다.
b. 죽은 사람을 위한 제단을 만드는 날이다.
c. 멋진 옷을 차려입고 친구들과 파티를 하는 날이다.
d. 흔히 해골처럼 생긴 빵으로 행운을 빌어 주는 날이다.

Reference

3 밑줄 친 them이 가리키는 것은?

a. families
b. the dead
c. special tables
d. their home

Graphic Organizer

4 본문의 단어를 이용하여 '죽은 자의 날'에 관한 표를 완성하시오.

The Day of the Dead

When is the day?	What do people do?	What is the day?
• ________ 1–2	• Build special ________ at home • Visit ________ at midnight • Dress up as ________ • Eat "________ ________ ________ ________"	• A day to remember ________ ________ ________

지식백과

'죽은 자의 날'에 펼쳐지는 모험, 영화 「코코(Coco)」

코코 할머니의 증손자인 미구엘은 음악을 금기시하는 집안 분위기에도 불구하고 뮤지션을 꿈꾸는 소년이다. 미구엘은 '죽은 자의 날'을 기념하는 마을 노래 대회에 참석하기 위해 전설적인 가수 에르네스트의 기타에 손을 댔다가 '죽은 자들의 세상'에 갇히게 되고, 다시 산 자들의 세상에 돌아오기 위해 그곳에서 만난 헥터와 함께 모험을 떠나는 영화이다.

영화 「코코」 예고편을 동영상으로 감상해 보세요! Time 2' 26"

A Unit 03에서 학습한 단어를 생각해 보고, 다음 퍼즐을 완성해 보시오.

❶ g
❷ h
❽ d
❾ d

Across

❶ the place where dead bodies are buried

❷ Hageul Day is a national __________ in Korea.
(한글날은 한국에서 공휴일이다.)

❸ 면적, 지역

❹ to cut with the teeth

❺ the bones of the head

Down

❷ 편지를 숨기다: __________ the letter

❻ 화산

❼ Mexico City is the __________ of Mexico.
(멕시코시티는 멕시코의 수도이다.)

❽ to make something attractive

❾ to damage something so badly

Study Date: ______ / ______

B

다음 [보기]에서 알맞은 말을 골라 문장을 완성하시오.

보기	bite	official	destroyed	capital	located

1 Paris is the __________ of France.

2 A small dog tried to __________ a little child.

3 The car factory is __________ near the airport.

4 The city was completely __________ by the enemy.

5 Taegeukgi is the __________ name for the Korean flag.

생각을 키우는 서술형 • 수행평가 대비 훈련

C

다음 [보기]에서 알맞은 말을 골라 글을 완성하시오.

Today I saw *Coco*, an animated movie about a Mexican boy. I learned that the Day of the __________ is a holiday in Mexico. Mexicans believe that the dead __________ them on November 1 and 2. So, they build special tables in their homes and decorate them with sugar __________. Many people dress up as skeletons and parade through the streets. I got interested in Mexican culture, and I want to visit Mexico City, the __________ of Mexico. It is a very big city with a __________ of about nine million.

보기	visit	capital	skulls	Dead	population

생각의 폭을 넓히는 배경지식 Story

#Topic Plants

여러분은 나무의 나이테에 대해 들어본 적이 있을 거예요. 둥근 여러 개의 원이 layer를 이루는 growth ring은 말 그대로 나무의 '나이'를 짐작할 수 있게 해 줘요. 어떻게 나무의 나이를 알 수 있냐고요?

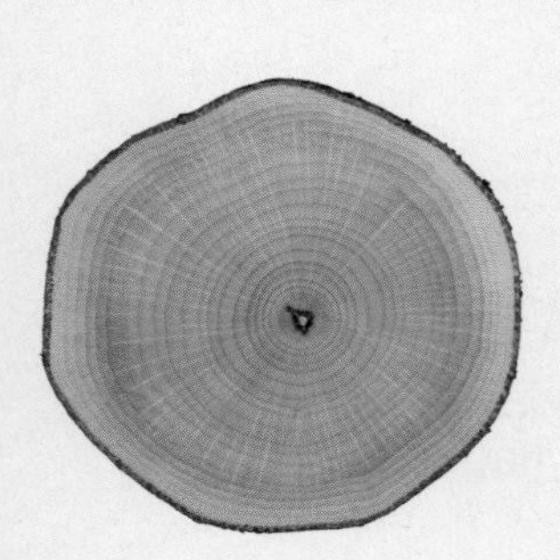

나무는 형성층의 세포가 분열을 하여 grow하는데 세포들은 따뜻하고 비가 많이 오는 condition에서는 빨리 자라고, 춥고 비가 잘 오지 않는 환경에서는 자라는 속도가 늦어져요. 우리나라처럼 사계절이 뚜렷한 기후에서는 봄·여름에는 폭이 thick한 원이, 가을·겨울에는 얇은 원이 나무의 trunk에 만들어져요. 반면에 기후 변화가 거의 없는 열대우림 지역에서 자라는 나무들은 mostly 나이테가 거의 없어요. 하지만 건기나 우기가 나누어져 있는 지역의 나무라면 역시 나이테를 produce하죠.

이제 여러분은 나이테를 보면 그 나무가 몇 살인지 대충 짐작할 수 있겠죠? 나이테에서 진한 원과 밝은 원을 합하면 1년이 되는 것이니까, 맨 outside의 껍질을 제외한 원들이 모두 몇 개인지를 세어 보면 되는 거예요. 알면 알수록 신기한 나무의 이야기, 이어서 계속 확인해 볼까요?

본문 미리보기 QUIZ

1 나무는 [□ 일정 크기까지 자라면 성장을 멈춘다. / □ 결코 성장을 멈추지 않는다.] 34쪽에서 확인

2 식물들은 대부분 [□ 곤충들과 대화하기 / □ 스스로를 보호하기] 위해 화학 물질을 방출한다. 36쪽에서 확인

독해의 장벽을 깨는 만만한 Vocabulary

Study Date: ______ / ______

☐ 1	attract [ətrǽkt]	동 유인하다, 끌다	주의를 끌다	______ attention
☐ 2	brush [brʌʃ]	동 털다	먼지를 털다	______ the dirt
☐ 3	condition [kəndíʃən]	명 상태	좋은 상태	good ______
☐ 4	damage [dǽmidʒ]	명 손상	심각한 손상	serious ______
☐ 5	giant [dʒáiənt]	형 거대한	거대한 나무	a ______ tree
☐ 6	grow [grou]	동 자라다	성장하다	______ up
☐ 7	layer [léiər]	명 층	오존층	ozone ______
☐ 8	mostly [móustli]	부 대부분	대부분 맑은	______ sunny
☐ 9	produce [prədjúːs]	동 생산하다	과일을 생산하다	______ fruits
☐ 10	release [rilíːs]	동 방출하다	연료를 방출하다	______ fuels
☐ 11	sense [sens]	동 감지하다	위험을 감지하다	______ the danger
☐ 12	survive [sərváiv]	동 살아남다	간신히 살아남다	barely ______
☐ 13	tasty [téisti]	형 맛있는	맛있는 식사	______ meals
☐ 14	thick [θik]	형 두꺼운	두꺼운 벽	______ walls
☐ 15	trunk [trʌŋk]	명 줄기	나무의 줄기	a tree ______

어휘 자신만만 QUIZ

1 나무들은 살아남기 위해 자라야 한다.

Trees need to grow in order to ______________.

2 열악한 상태에서조차도 나무들은 나이테를 만들 것이다.

Even in bad ______________, trees will produce growth rings.

Reading 01

When Do Trees Stop Growing?

My Reading Time | Words 144 / 1분 40초

1회 ____분____초 2회 ____분____초

When do trees stop growing? The answer is that trees never stop growing. Trees need to grow in order to survive. Trees can't repair damage. They can only keep themselves healthy by adding new layers outside the trunk. In fact, if a tree ever stops growing, it will die. Even in bad conditions, trees will produce growth rings. However, the rings will be close together because the growth is so slow.

Hyperion, a coast redwood in California, is known to be the tallest tree in the world. It is 115.9 meters tall. It is still growing. The largest tree in the world is General Sherman, a giant sequoia. It is also in California. Its trunk is 11.1 meters thick. The tree is believed to be about 2,500 years old and is also still growing. Even the tallest, largest trees need to keep on growing.

Words

stop 동 멈추다 grow 동 자라다 survive 동 살아남다 repair 동 고치다 damage 명 손상 healthy 형 건강한 layer 명 층 outside 전 …의 밖으로 trunk 명 줄기 even 부 …조차(도) condition 명 상태 produce 동 생산하다 growth ring 나이테 giant 형 거대한 thick 형 두꺼운 still 부 아직도 keep on 계속하다

LINK 실력 향상 WORKBOOK p.14

Main Idea

1 본문의 요지로 가장 알맞은 것은?

a. Trees grow tall in California.
b. Trees keep growing to survive.
c. Trees produce one growth ring a year.
d. Trees add new layers outside the trunk.

Inference

2 나무가 빨리 자랄 때 일어날 일로 가장 알맞은 것은?

a. It will not produce a growth ring.
b. Its growth rings will be damaged.
c. Its growth rings will be wide apart.
d. It will grow as large as General Sherman.

Details

3 General Sherman에 관한 설명 중 본문의 내용과 일치하지 않는 것은?

a. 캘리포니아에 있다.
b. 세계에서 가장 큰 나무이다.
c. 성장을 멈춘 나무이다.
d. 줄기의 두께는 11.1미터이다.

Graphic Organizer

4 본문의 단어를 이용하여 나무에 관한 표를 완성하시오.

Trees' Growth	• Trees keep healthy by adding __________ __________. • If a tree stops __________, it will die.
Trees on the Record	• Tallest Tree: __________ / 115.9 meters tall • Largest Tree: General Sherman / 11.1 meters __________

지식백과

나무와 악기

가뭄이 심하거나 매우 추운 때에는 나이테가 촘촘하고, 강수량이 풍부하고 따뜻할 때에는 나이테의 간격이 넓다. 세계적인 명품 바이올린으로 알려진 스트라디바리우스(Stradivarius)는 이탈리아가 극심한 혹한에 시달리던 17세기 중반에 자란 가문비나무(spruce)로 만들었다. 추위와 싸우며 생긴 치밀하고 단단한 나무 조직 덕분에 바이올린의 공명이 매우 우수하다고 인정 받고 있다.

장인의 손길이 담긴 바이올린을 동영상으로 확인해 보세요! Time 2' 59"

Reading 02

Plants Can Talk

My Reading Time | Words 140 / 1분 40초

1회 ____분 ____초 2회 ____분 ____초

Do plants communicate? Scientists say they do. Plants don't talk with words, but through chemicals. Plants talk mostly to protect themselves. When an animal starts eating a leaf, the plant gives off a chemical. The other leaves sense this chemical and then produce their own chemicals that make them less tasty. Even nearby plants get the message and change their taste.

Many insects lay their eggs on plant leaves. They want their babies to have food to eat when they are born. Plants don't like this. But they can't put up a hand and brush the eggs away. Some of the plants are very smart, though. They release chemicals into the air that attract other insects. The chemicals are like an ad for a free meal. The insects fly in and eat up the eggs or the newly born insects.

Words

plant 명 식물 communicate 동 의사소통하다 scientist 명 과학자 through 전 …을 통해서 chemical 명 화학물질 mostly 부 대부분 leaf 명 잎 give off 발산하다 sense 동 감지하다 tasty 형 맛있는 nearby 형 근처의 brush 동 털다 release 동 방출하다 attract 동 유인하다, 끌다 insect 명 곤충 meal 명 식사

LINK 실력 향상 WORKBOOK p.16

Title
1 본문의 다른 제목으로 가장 알맞은 것은?

a. Why Do Insects Love Leaves?
b. Which Chemicals Attract Insects?
c. How Do Plants Protect Themselves?
d. Where Do Plants Release Chemicals?

Details
2 빈칸에 들어갈 단어를 본문에서 찾아 쓰시오.

(1) A plant's ________ warns other plants to protect themselves against insects.
(2) Some plants can get rid of leaf-eaters by attracting other ________.

Reference
3 밑줄 친 a free meal이 가리키는 내용이 되도록 문장을 완성하시오.

➔ It refers to the ________ or the newly born ________.

Summary
4 주어진 단어를 이용하여 요약을 완성하시오.

tasty	talk	insects	eggs	chemicals

Plants can ________, not with words, but through ________. They talk to protect themselves against ________. They give off chemicals to make their leaves less ________ or to attract insects that may eat up other insects' ________.

지식백과

피톤치드(Phytoncide)

우리는 숲속에 들어갔을 때 상쾌한 숲 향기를 맡을 수 있는데, 이는 피톤치드 덕분이다. 피톤치드는 식물이 병원균·해충·곰팡이로부터 저항하기 위해 스스로 분비하는 일종의 천연 항생 물질이다. 피톤치드는 항균 효과뿐만 아니라 스트레스 완화, 면역 기능 향상, 탈취 효과 등이 있다. 피톤(phyton)은 라틴어로 '식물'이라는 뜻이고, 치드(cide)는 '죽이다'라는 뜻이다.

Reading Closer

독해의 내공을 키우는 마무리 학습

A

Unit 04에서 학습한 단어를 생각해 보고, 다음 퍼즐을 완성해 보시오.

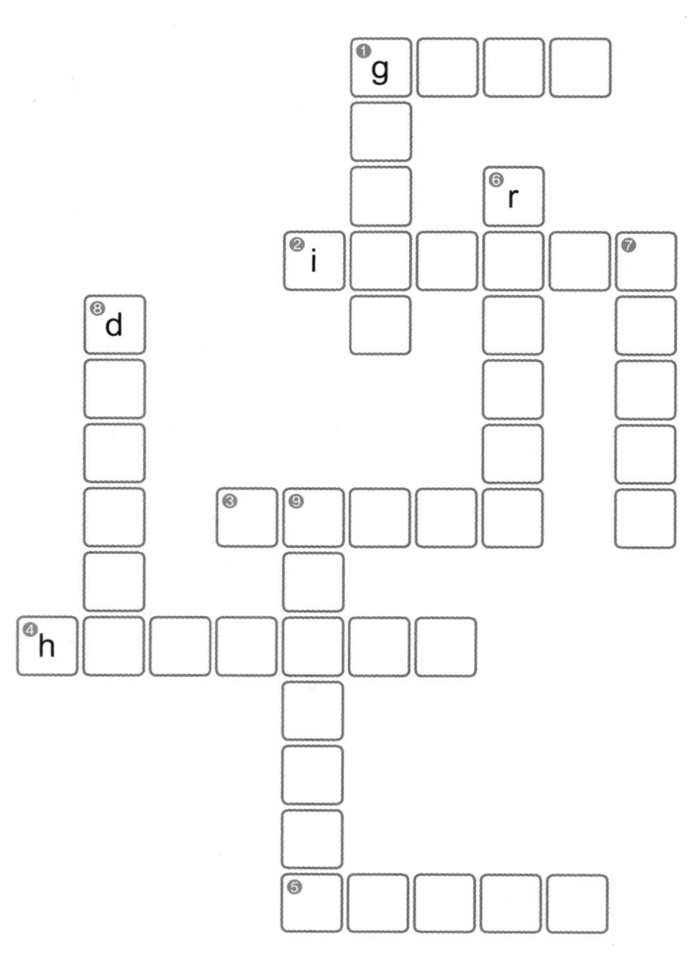

Across

❶ to become bigger or taller as time passes

❷ a small creature with six legs, such as a bee or a fly

❸ 오존층: ozone __________

❹ not sick or injured

❺ 맛있는 식사: __________ meals

Down

❶ very large

❻ to put back into good condition

❼ 두꺼운

❽ 심각한 손상: serious __________

❾ Plants release chemicals to __________ other insects.
(식물들은 다른 곤충들을 유인하기 위해서 화학 물질을 방출한다.)

Study Date: _____ / _____

B 다음 [보기]에서 알맞은 말을 골라 문장을 완성하시오.

보기	communicate	growth	meal	insect	attract

1 Some kids in poor countries only have one __________ a day.

2 Body language can be used to __________ messages to others.

3 Traditional markets __________ a lot of tourists from other countries.

4 The ant is an __________ that appears in one of Aesop's fables.

5 A balanced diet is very important for children's healthy __________.

생각을 키우는 서술형 • 수행평가 대비 훈련

C 다음 [보기]에서 알맞은 말을 골라 글을 완성하시오.

Trees can __________ for more than 2,000 years. In fact, they keep growing to stay alive. When they are attacked and damaged, they cannot __________ the damage. They can only keep themselves healthy by adding one __________ after another outside the trunk. Trees also have different ways to __________ themselves. Some trees have leaves high in their branches, so insects and animals cannot easily reach them. Other trees give off __________ that make their leaves less tasty.

보기	protect	repair	chemicals	survive	layer

UNIT 05 China's First Emperor

생각의 폭을 넓히는 배경지식 Story

#Topic Ancient China

드넓은 중국 땅에는 크고 작은 국가들이 생겨나고 사라지기를 반복했어요. 춘추시대에 이르러서는 about 140개의 국가들이 있었는데, 이들은 아주 오랫동안 전쟁을 벌이며 혼란이 끊이지 않았죠. 이들 국가에서는 백성들의 생활을 돌보기보다는 enemy를 두려워하여 경쟁적으로 army를 키우고 성을 build했어요. 게다가 너무 오래 지속된 전쟁 때문에 수천 명의 사람들이 soldier로 끌려나가 죽었어요.

이러한 시기에 마침표를 찍고 하나의 중국을 만들겠다는 큰 야망을 품은 사람이 바로 진시황제예요. 그는 자신의 야심대로 결국 중국을 하나의 국가로 만들고 첫 ruler가 되었어요. 그가 이룬 일은 정말 amazing하지만, 그는 평생 동안 암살을 두려워하며 살았다고 해요. 또한, 그는 불로장생의 삶에 매우 집착해서 사신을 전 세계로 보내기도 했어요. 이런 노력에도 불구하고, 진시황은 지금 그의 tomb에 누워 있으니 그가 emperor이었든 farmer였든 결국에는 공평하게 흙으로 돌아간 것이죠. 진시황과 관련된 재미있는 고대 중국에 대한 이야기, 다음 글에서 조금 더 읽어 볼까요?

본문 미리보기 QUIZ

1 중국의 도기 병사 부대는 [□ 역사학자들 / □ 농부들] 에 의해 발견되었다. 42쪽에서 확인

2 만리장성의 길이는 약 [□ 6,400 km / □ 3,200 km] 이다. 44쪽에서 확인

독해의 장벽을 깨는 만만한 Vocabulary

Study Date: ______ / ______

☐ 1	amazing [əméiziŋ]	형 놀라운	놀라운 발견	an ________ discovery
☐ 2	about [əbáut]	부 대략, 약	약 한 시간	________ an hour
☐ 3	army [ɑ́:rmi]	명 군대	군대에 가다	enter the ________
☐ 4	build [bild]	동 (건물을) 짓다	다리를 짓다	________ the bridge
☐ 5	bury [béri]	동 묻다	보물을 묻다	________ the treasure
☐ 6	discovery [diskʌ́vəri]	명 발견	발견을 하다	make a ________
☐ 7	emperor [émpərər]	명 황제	로마 황제	the Roman ________
☐ 8	enemy [énəmi]	명 적	강한 적	a powerful ________
☐ 9	farmer [fɑ́:rmər]	명 농부	지역 농민	a local ________
☐ 10	join [dʒɔin]	동 연결하다	파이프를 연결하다	________ the pipes
☐ 11	ruler [rú:lər]	명 통치자	강력한 통치자	a strong ________
☐ 12	soldier [sóuldʒər]	명 병사	용감한 병사	a brave ________
☐ 13	strike [straik]	동 치다, 부딪치다	바위에 부딪치다	________ a rock
☐ 14	structure [strʌ́ktʃər]	명 건축물	목재 건축물	a wooden ________
☐ 15	tomb [tu:m]	명 무덤	돌 무덤	a stone ________

어휘 자신만만 QUIZ

1 1974년 중국인들은 놀라운 발견을 했다.

In 1974, the Chinese made an ________________ discovery.

2 만리장성은 오늘날 세계에서 가장 큰 건축물이다.

The Great Wall is the largest ________________ in the world today.

Reading 01

The Underground Army of Soldiers

My Reading Time | Words 134 / 1분 30초

1회 ____분 ____초 2회 ____분 ____초

In 1974, the Chinese made an amazing discovery. Some farmers were working in a field. They struck something hard. An army of about 8,000 *terra-cotta soldiers was buried about five meters beneath the ground. The soldiers were 183–195 cm tall, and each was different with its own hairstyle and facial expression.

The army was designed to protect Emperor Qin [Chin] after he died. The army was also created to show his power during his lifetime. Emperor Qin ended hundreds of years of fighting among the different states in China. The construction of the army and tomb began when he became ruler.

Visitors can see the great army in three special museums. Sometimes the terra-cotta soldiers even go on tour around the world. Scientists believe that there are still many soldiers waiting to be found.

* terra-cotta 토기

Words

underground 형 지하의 army 명 군대 soldier 명 병사 amazing 형 놀라운 discovery 명 발견 field 명 밭 strike 동 치다, 부딪치다 bury 동 묻다 beneath 전 아래에 facial expression 얼굴 표정 emperor 명 황제 state 명 나라, 주 construction 명 건설 tomb 명 무덤 ruler 명 통치자 museum 명 박물관

LINK 실력 향상 WORKBOOK p.18

Topic

1 **본문의 주제로 가장 알맞은 것은?**

a. the life of Emperor Qin
b. a powerful Chinese army
c. the history of making terra-cotta
d. terra-cotta soldiers of ancient China

Details

2 **도기 병사 부대에 관한 설명 중 본문의 내용과 일치하지 않는 것은?**

a. 동일한 머리 스타일에 제복을 입고 있다.
b. 박물관 세 곳에 전시되어 있다.
c. 전 세계적으로 순회 전시되기도 한다.
d. 아직 발견되지 않은 것이 있을 수 있다.

Reference

3 **진시황제가 도기 병사 부대를 만들기 시작한 때는?**

a. in 1974
b. when he became ruler
c. after he died
d. when he won the war against other states

Graphic Organizer

4 **본문의 단어를 이용하여 도기 병사 부대에 관한 표를 완성하시오.**

Terra-Cotta Soldiers

Discovery
- In ____________
- By some ____________ working in a field

Creation
- By Emperor Qin
- To protect his ____________ and to show his ____________

Characteristics
- 183–195 cm tall
- Each has its own ____________ and facial expression.

Present Status
- Exhibited in ____________ special museums
- Still many soldiers are waiting to be found.

지식백과

진시황제(기원전 259년–210년)의 업적

진시황제는 13세의 어린 나이로 중국 서부에 위치한 진나라의 왕이 되었다. 그는 꾸준히 군사력을 강화하여 춘추 전국 시대의 다른 6개 나라를 정복하고 중국을 하나의 통일된 나라로 만들었다. 문자와 도량형을 통일하여 중국을 통치하였으며, 춘추 전국 시대 나라들의 성을 이어 만리장성을 완성하는 업적을 남겼다. 불로장생을 원했던 그는 불로초를 찾으려고 애썼으며, 사후에 자신의 무덤을 지킬 수 있도록 도기 병사들을 만들게 하였다. 도기 병사들은 진시황릉 동쪽 담에서 1km 정도 떨어진 위치에 있다.

Reading
02 The Great Wall

My Reading Time | Words 155 / 1분 45초

1회 ____분 ____초 2회 ____분 ____초

The Chinese built the Great Wall thousands of years ago. They wanted to protect their country from enemies. First, they built small walls around the towns. Then Emperor Qin joined the walls to make one long wall.

Emperor Qin was the first emperor of the Qin Dynasty. The name *Qin* sounds like *Chin*, and the word *China* comes from this name. (A) The emperor wanted China to be strong. (B) But building the Great Wall was hard work. (C) Their bodies are buried in the wall, so some people call the Great Wall "the wall of __________." (D)

The Great Wall is the largest structure in the world today. It is about 6,400 kilometers long, about 7.6 meters high, and about 4.6 meters wide at the top. We don't know exactly how long the Great Wall is. There are many different parts of the wall, and some parts have fallen down.

Words

build 동 (건물을) 짓다 thousands of 수천의 enemy 명 적 join 동 연결하다 dynasty 명 왕조 sound like …처럼 들리다 come from …에서 비롯되다 strong 형 강한 body 명 시체, 몸 call 동 …라 부르다 structure 명 건축물 about 부 대략, 약 exactly 부 정확히 fall down 무너지다

Study Date: ______ / ______

LINK 실력 향상 WORKBOOK p.20

Purpose

1 본문의 목적으로 가장 알맞은 것은?

a. to invite people to the Great Wall
b. to give information about the Great Wall
c. to describe the beauty of the Great Wall
d. to ask people to preserve the Great Wall

Organization

2 주어진 문장이 들어가기에 가장 알맞은 곳은?

> Over one million people died building the wall.

a. (A) b. (B) c. (C) d. (D)

Inference

3 빈칸에 들어갈 말로 가장 알맞은 것은?

a. death b. god c. peace d. victory

Summary

4 Complete the summary with the words in the box.

one long wall	hard work	from enemies	largest structure

The Great Wall was built thousands of years ago to protect China ______________. Emperor Qin, the first emperor of the Qin Dynasty, joined small walls to make ______________. Building the wall was ______________. It is the ______________ in the world, but no one knows the exact size.

지식 백과

2,000여 년에 걸쳐 완성된 만리장성

중국의 만리장성은 1987년 유네스코 세계 문화유산으로 등록된 건축물이다. 만리장성은 춘추 전국 시대에 여러 나라들이 쌓아 올린 성벽을 진시황제가 연결하고 증축한 것이다. 하지만 대부분 흙으로 만든 벽돌로 건축하여 진시황제 때 지은 장성은 대부분 파괴되었다. 그 이후 여러 황제가 계속 장성을 복원하고 늘려 지었고, 17세기 명나라 때 오늘날의 만리장성이 완성되었다.

만리장성과 진시황제의 이야기를 동영상으로 확인해 보세요! Time 4' 28"

A Unit 05에서 학습한 단어를 생각해 보고, 다음 퍼즐을 완성해 보시오.

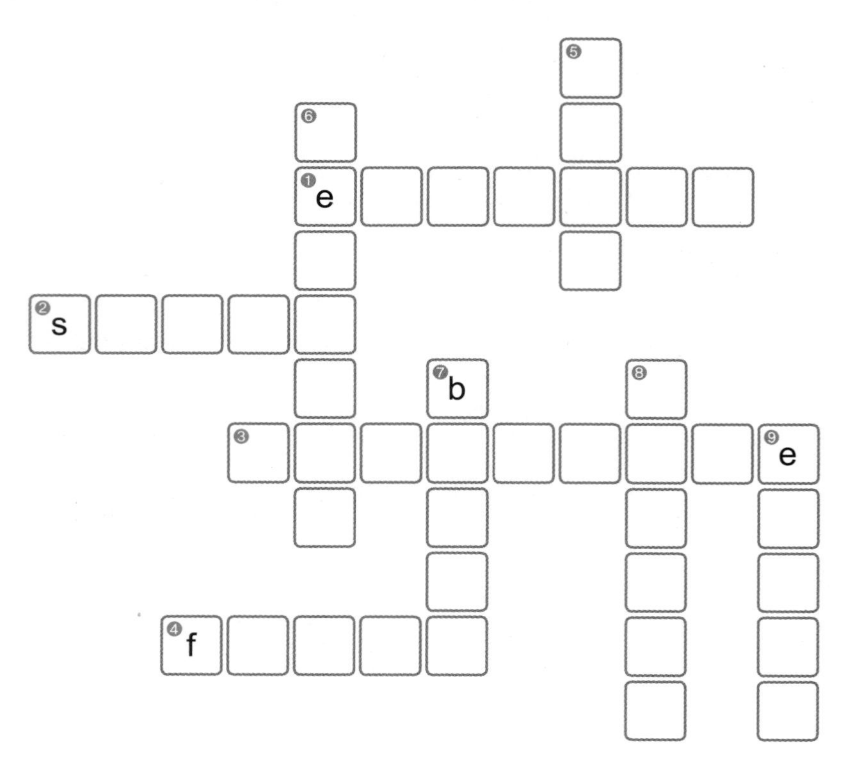

Across

❶ the ruler of an empire

❷ a nation or country

❸ 가장 큰 건축물: the largest ___________

❹ Farmers are working in a ___________.
(농부들은 밭에서 일을 하고 있다.)

Down

❺ 보물을 묻다: ___________ the treasure

❻ under something

❼ 다리를 짓다: ___________ the bridge

❽ 박물관

❾ 적을 공격하기 위해서: in order to attack the ___________

Study Date: ______ / ______

B 다음 [보기]에서 알맞은 말을 골라 문장을 완성하시오.

보기	soldier	enemy	emperor	structure	create

1 The press criticizes him a lot, so he considers it the __________.

2 Ancient Romans put a picture of their __________ on their coins.

3 The new building is a __________ that stands over 200 meters tall.

4 The man fought as a __________ in the civil war and died at the age of 22.

5 Artists and writers try to __________ works that appeal to people.

생각을 키우는 서술형 • 수행평가 대비 훈련

C 다음 네모 안에서 알맞은 말을 골라 글을 완성하시오.

Emperor Qin was the [first / second] emperor of the Qin Dynasty who unified China. He [built / destroyed] the Great Wall of China to protect his country from enemies. It is the [tallest / largest] structure in the world today. Emperor Qin ordered his men to make thousands of terra-cotta soldiers and bury them in a big [museum / tomb]. The soldiers were designed to protect the emperor after he died. These terra-cotta soldiers were discovered in 1974 by Chinese [farmers / historians].

생각의 폭을 넓히는 **배경지식 Story**

#Topic Dinosaurs & Fossils

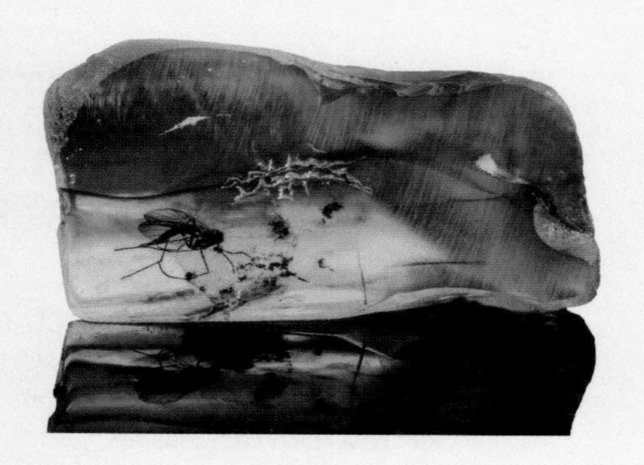

영화 「쥬라기 공원(Jurassic Park, 1993)」에는 멸종된 dinosaur의 피를 빤 모기가 갇혀있는 fossil에서 DNA를 추출하여 공룡을 만드는 내용이 나오죠. 쥐라기에는 열대 우림처럼 1년 내내 날씨가 따뜻하고 비가 자주 와서 식물들이 쑥쑥 자라났어요. 그 결과 식물을 먹이로 삼는 초식 공룡들의 수가 엄청나게 늘어났고, 초식 공룡을 먹이로 하는 육식 공룡도 늘어나게 됐죠.

그렇다면 지구의 왕이었던 공룡들은 왜 사라지게 된 걸까요? 여전히 공룡의 멸종 이유는 figure out 되지 않았지만, 몇몇 scientist들은 운석 충돌 때문이라고 생각해요. 거대한 운석이 지구와 충돌하면서 엄청난 먼지와 가스 등이 지구의 surface를 덮고, 이 때문에 기온이 급격히 떨어지게 된 것이죠. 먹이가 사라지자 큰 몸집을 감당할 수 없었던 creature들은 지구상에서 completely 사라지고 말았다는 거예요.

우리가 오늘날 복원해 낸 공룡의 모습은 대부분 화석에 보존된 뼈를 기반으로 재구성해 낸 것이에요. 지진이나 산사태 등으로 공룡이 mud 안에 묻히는 경우가 있는데, 시간이 지나면서 그들의 remains가 분해되면 단단한 부분만 화석으로 남죠. 우리가 영화나 책에서 만나는 공룡은 이런 흔적을 바탕으로 복원된 거예요. 이어진 지문에서 재미있는 공룡의 이야기를 더 만나 보세요!

본문 미리보기 QUIZ

1 T. Rex(티라노사우르스 렉스)의 속도는 시속 [☐ 24km / ☐ 100km] 이다. 50쪽에서 확인

2 화석이 되기 위해서는 [☐ 바위 아래 / ☐ 진흙에] 묻혀야 한다. 52쪽에서 확인

독해의 장벽을 깨는 만만한 Vocabulary

Study Date: ____ / ____

☐ 1	**ancient** [éinʃənt]	형 고대의	고대 역사	________ history
☐ 2	**average** [ǽvəridʒ]	형 평균의	평균 성적	________ grades
☐ 3	**calculate** [kǽlkjəlèit]	동 계산하다	합계를 내다	________ the total
☐ 4	**completely** [kəmplíːtli]	부 완전히	완전히 잊다	________ forget
☐ 5	**creature** [kríːtʃər]	명 생물, 동물	바다 생물	a marine ________
☐ 6	**degree** [digríː]	명 (각도의 단위) 도	90도 각도	a 90 ________ angle
☐ 7	**dinosaur** [dáinəsɔ̀ːr]	명 공룡	공룡 뼈	________ bones
☐ 8	**figure out**	알아내다	알아내려고 노력하다	try to ________
☐ 9	**fossil** [fásl]	명 화석	화석 연료	________ fuels
☐ 10	**measure** [méʒər]	동 측정하다	속도를 측정하다	________ the speed
☐ 11	**natural** [nǽtʃərəl]	형 자연의	자연 재해	________ disasters
☐ 12	**remains** [riméinz]	명 유해, 유적	고대 유적	ancient ________
☐ 13	**study** [stʌ́di]	동 연구하다	면밀히 연구하다	________ closely
☐ 14	**surface** [sə́ːrfis]	명 표면, 표층	지구의 표면	________ of the Earth
☐ 15	**tough** [tʌf]	형 강한	강한 사람	a ________ guy

어휘 자신만만 QUIZ

1 T. Rex는 가장 강한 공룡 중의 하나였다.

T. Rex was one of the ____________ dinosaurs.

2 화석은 고대 식물이나 동물의 유해이다.

Fossils are the ____________ of ancient plants or animals.

Reading 01

Don't Be Afraid of T. Rex

My Reading Time | Words 147 / 1분 40초

1회 ____분 ____초 2회 ____분 ____초

T. Rex (Tyrannosaurus Rex) was one of the toughest dinosaurs. But some scientists now say that it was not the fastest. The average speed of ⓐ the king of dinosaurs was only 24 km per hour. ⓑ Today's fastest animal, the cheetah, can run about 100 km per hour. The fastest human in the world, Usain Bolt, ran at the speed of about 37 km per hour in the 2008 Olympics 100 m race.

The scientists used data from dinosaur fossils to measure the speed of ⓒ T. Rex. Using computers, they then figured out how ⓓ the creature moved. They also used the data to calculate the dinosaur's turning speed. It was found that it took the creature about two seconds to turn 45 degrees. A human can turn in 0.05 seconds. If you meet a T. Rex, don't worry too much. You can just run away making short turns.

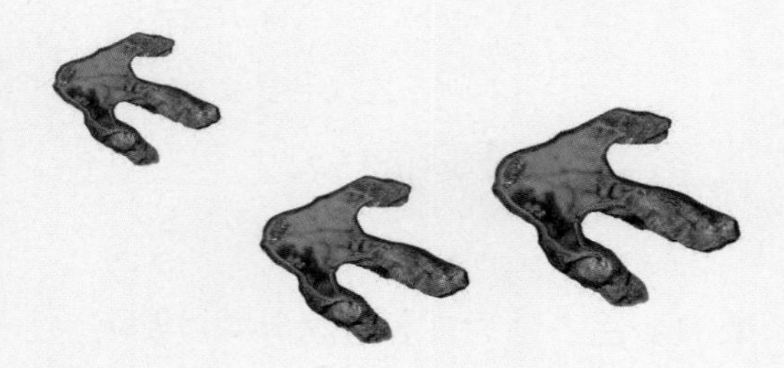

Words

afraid of …을 무서워하는 tough 형 강한 dinosaur 명 공룡 average 형 평균의 speed 명 속도 per 전 …당[마다] data 명 자료 fossil 명 화석 measure 동 측정하다 figure out 알아내다 calculate 동 계산하다 creature 명 생물, 동물 second 명 (시간 단위) 초 degree 명 (각도의 단위) 도 run away 도망치다

LINK 실력 향상 WORKBOOK p.22

Main Idea

1 **본문의 요지로 가장 알맞은 것은?**

a. T. Rex는 그리 빠르지 않은 공룡이었다.
b. 과학자들은 많은 공룡 화석을 발견했다.
c. T. Rex는 가장 강한 공룡이었다.
d. 치타가 공룡보다 빨리 달릴 수 있다.

Reference

2 **밑줄 친 ⓐ~ⓓ 중 가리키는 대상이 나머지와 다른 것은?**

a. ⓐ b. ⓑ c. ⓒ d. ⓓ

Inference

3 **T. Rex가 한 바퀴 회전하는 데 걸리는 시간으로 가장 알맞은 것은?**

a. 0.05 seconds
b. 0.4 seconds
c. 8 seconds
d. 16 seconds

Summary

4 **Complete the summary with the words in the box.**

slowly	speed	data	fossils	slower

Scientists measured the speed of T. Rex using __________ from dinosaur __________. T. Rex was __________ than cheetahs and the fastest human. The scientists also calculated the dinosaur's turning __________. They found that T. Rex turned very __________.

지식 백과

공룡의 왕 T. Rex

T. Rex는 Tyrannosaurus Rex의 줄임말로, tyranno와 saurus는 그리스어로 각각 '폭군'과 '도마뱀'을 뜻하고, Rex는 라틴어로 '왕'이라는 뜻이다. T. Rex는 최대 몸길이가 16미터, 높이는 3~6미터, 몸무게는 4~6톤으로 거대한 육식 동물이었다. 백악기 후기(6800~6600만 년 전)에 살았던 공룡으로서 북아메리카 대륙의 서쪽에서 주로 서식했다. 현재까지 30여 개의 T. Rex 화석이 발견되었다.

Reading 02

The Basics of Fossils

My Reading Time | Words 147 / 1분 40초

1회 ____분____초 2회 ____분____초

Fossils are the remains of ancient plants or animals. They are found under the ground or on the surface of a rock. Usually only the hard parts of plants and animals become fossils. Every animal does not become a fossil.

Most animals that die in the natural world will be eaten by other animals or insects. Soil bacteria will completely eat all the little pieces. In order to become a fossil, something special must happen. When a dead animal is buried in sand or mud, other animals or bacteria cannot eat it. Over millions of years, the sand or mud turns into rock. The minerals in the rock change the dead animal into a fossil.

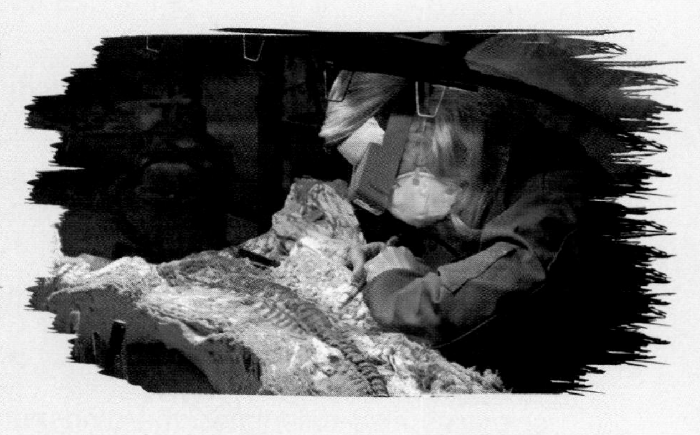

Fossils usually come apart under the ground. So scientists have to work hard to put them back together. They study fossils to learn about the creatures that lived millions of years ago.

Words

remains 명 유해, 유적 ancient 형 고대의 surface 명 표면 usually 부 보통, 대개 natural 형 자연의 bacteria 명 세균 completely 부 완전히 piece 명 조각 sand 명 모래 mud 명 진흙 turn into …이 되다 rock 명 암석 mineral 명 광물질, 미네랄 come apart 조각나다 study 동 연구하다 learn 동 배우다

LINK 실력 향상 WORKBOOK p.24

1 Title

본문의 다른 제목으로 가장 알맞은 것은?

a. The Use of Fossils
b. The Life Cycle of Nature
c. How Fossils Are Formed
d. How Dinosaurs Lived Millions of Years Ago

2 Details

빈칸에 알맞은 단어를 본문에서 찾아 쓰시오.

Fossils are usually found under the __________ or on the surface of a __________.

3 Details

화석에 관한 설명 중 본문의 내용과 일치하는 것은?

a. 동식물의 부드러운 부분이 화석이 된다.
b. 죽은 동식물은 모두 화석이 된다.
c. 토양의 박테리아가 죽은 동물을 화석으로 변화시킨다.
d. 죽은 동물이 화석이 되는 데 수백만 년이 걸린다.

4 Graphic Organizer

본문의 단어를 이용하여 화석 형성 과정을 완성하시오.

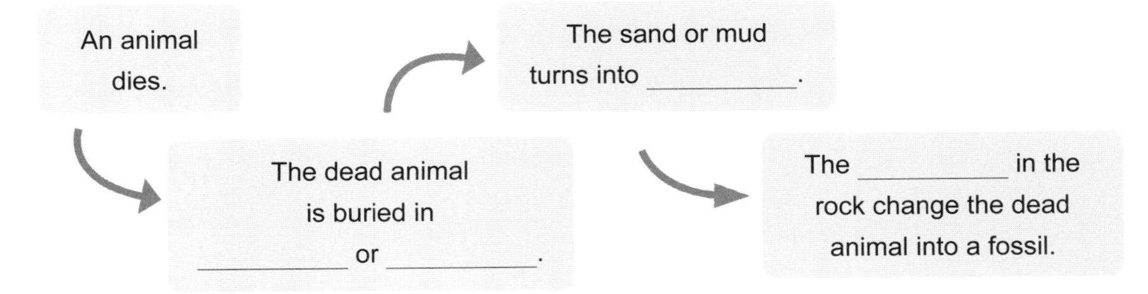

An animal dies.
The dead animal is buried in __________ or __________.
The sand or mud turns into __________.
The __________ in the rock change the dead animal into a fossil.

우리나라의 공룡 화석

우리나라에서 발견된 공룡 발자국은 세계 3대 유적지 중의 하나로 평가받고 있다. 1972년 경남 하동에서 공룡 알 화석이 발견되면서 한반도에 공룡이 존재했다는 사실이 확인되었다. 그 후 1982년 경남 고성군에서 1천 8백여 개의 공룡 발자국이 처음 발견되었다. 다양한 발자국 화석은 당시 한반도가 공룡들의 낙원이었음을 의미하며 그 가치가 세계적으로 주목받고 있다.

우리나라에서 살았던 공룡들을 동영상으로 확인해 보세요! Time 3' 36"

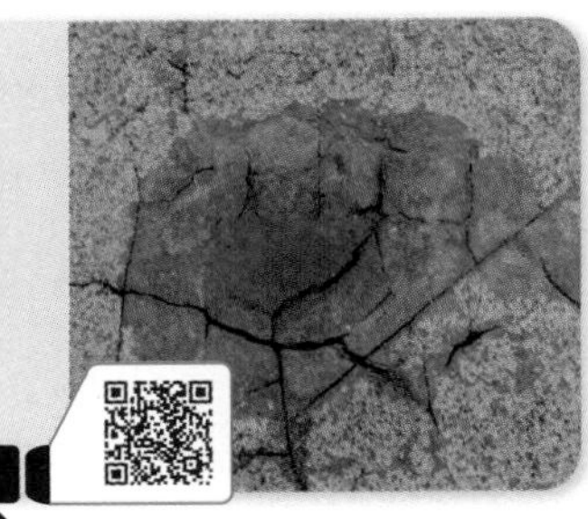

Reading Closer

독해의 내공을 키우는 **마무리 학습**

A **Unit 06에서 학습한 단어를 생각해 보고, 다음 퍼즐을 완성해 보시오.**

Across

❶ 화석

❷ Some scientists __________ dinosaurs.
(몇몇 과학자들은 공룡을 연구한다.)

❸ 알아내려고 노력하다: try to __________ out

❹ from a long time ago

❺ 속도를 측정하다: __________ the speed

Down

❷ the outside part of something

❻ very small pieces of rock

❼ 평균 성적: __________ grades

❽ physically strong

❾ the rate at which someone or something moves or travels

B 다음 [보기]에서 알맞은 말을 골라 문장을 완성하시오.

보기	mineral	mud	bury	average	natural

1 The __________ age of the players on our team is 25.

2 The thief tried to __________ the treasure under a tree.

3 Floods and earthquakes are examples of __________ disasters.

4 Iron is an essential __________ because it helps make blood cells.

5 The car was stuck in the __________, and the driver felt hopeless.

생각을 키우는 서술형 • 수행평가 대비 훈련

C 다음 네모 안에서 알맞은 말을 골라 글을 완성하시오.

Fossils are the remains of plants and animals that lived in [modern / ancient] times. Usually only the hard parts of plants and animals become fossils. They are found deep under the ground or near the [surface / center] of the Earth. Scientists study them to learn about the [arts / creatures] of long ago. For example, they can use data from [dinosaur / plant] fossils to measure the speed of T. Rex. They can also figure out how it probably moved and [bury / calculate] how fast it could turn.

생각의 폭을 넓히는 배경지식 Story

#Topic English

'자장면'과 '짜장면', similar하지만 원래 '자장면'만이 표준어였답니다. 하지만 많은 사람들이 common하게 사용하자 2011년부터 '짜장면'도 표준어로 인정하게 되었어요. 표준어가 변하다니! 언어의 grammatical 규칙을 중요하게 생각하는 사람들에게는 놀라운 일이지요. 하지만 실제로 언어는 fixed되어 있는 것이 아니라 끊임없이 변화해요. 이런 변화는 대부분 수 century 동안 천천히 일어나기 때문에, 언어를 사용하는 사람들이 잘 눈치채지 못하는 경우가 많죠.

언어가 변화하도록 영향을 주는 요소는 여러 가지가 있어요. 먼저 다른 언어가 combined되어 바뀌는 경우가 있고, '택시' 같은 foreign 표현을 borrow해서 쓰는 경우도 있어요. 또한 사회 · 문화적인 변화에 따라 예전에는 없던 새로운 단어들이 추가될 수 있어요. 오늘날 '인터넷'이나 '스마트폰'과 같은 단어를 사용하는 것이 바로 그 예에요. 또한 예전에는 '차'가 보통 수레를 일컫는 말이었지만, present 시대에는 자동차를 가리키는 말로 replace되었죠. 이것은 기술 변화에 따라 단어의 definition이 변화하는 것을 보여 주죠.

이렇게 언어가 변화할 수 있다니, 흥미롭지 않나요? 이어지는 글에서 영어에 대한 다양한 이야기들을 좀 더 확인해 볼게요.

본문 미리보기 QUIZ

1 영어 단어 'magazine'은 [☐ 이탈리아어 / ☐ 아랍어] 에서 유래했다. 58쪽에서 확인

2 영어의 관용구 'break a leg'는 [☐ 행운을 빈다 / ☐ 조심해] 라는 뜻이다. 60쪽에서 확인

독해의 장벽을 깨는 만만한 Vocabulary

Study Date: ______ / ______

□ 1	**borrow** [bárou]	동 차용하다	책에서 가져오다	______ from a book
□ 2	**century** [séntʃəri]	명 세기, 백 년	21세기	21st ______
□ 3	**combined** [kəmbáind]	형 결합된	결합된 단어	______ words
□ 4	**common** [kámən]	형 흔한, 보통의	보통 사람	______ people
□ 5	**definition** [dèfəníʃən]	명 정의	명확한 정의	a clear ______
□ 6	**fix** [fiks]	동 고정시키다	선반을 고정시키다	______ a shelf
□ 7	**foreign** [fɔ́:rən]	형 외국의	외국어	______ languages
□ 8	**grammatical** [grəmǽtikəl]	형 문법의	문법적 규칙	______ rules
□ 9	**idiom** [ídiəm]	명 관용어구	영어 관용어구	English ______
□ 10	**include** [inklú:d]	동 포함하다	세금을 포함하다	______ taxes
□ 11	**necessary** [nésəsèri]	형 필요한	필요한 기술	______ skills
□ 12	**origin** [ɔ́:ridʒin]	명 기원, 근원	생명의 근원	the ______ of life
□ 13	**present** [préznt]	형 현재의	과거와 현재	past and ______
□ 14	**replace** [ripléis]	동 대체하다	낡은 것을 대체하다	______ the old one
□ 15	**similar** [símələr]	형 비슷한	비슷한 색깔	a ______ color

어휘 자신만만 QUIZ

1 영어는 다른 언어들로부터 많은 단어를 차용해 왔다.

The English language has ______________ many words from other languages.

2 대부분의 관용어구들은 어법 구조에 고정되어 있다.

Most idioms are ______________ in their grammatical structure.

English with Foreign Origins

My Reading Time | Words 146 / 1분 40초

1회 ____분____초 2회 ____분____초

The English language has borrowed many words from other languages. For example, the word *umbrella* has an Italian origin. The Italian word *ombrella* meant a little shadow. When the word came into English in the 17th century, it meant a sunshade. In England, however, protection from rain was more necessary than a sunshade. So the word took on its present meaning. Other words from Italian include *piano*, *opera*, *traffic*, and *studio*.

Some English words came from Arabic. The word *magazine*, for example, came from the Arabic word *makhazin*. It meant a house where people kept different things. When English took the word in the 16th century, it meant a place for bombs or other military things. In the 18th century, people started to use the word to mean a small book with different types of information. The words *sofa*, *jumper*, and *giraffe* also came from Arabic.

Words

foreign 형 외국의 origin 명 기원, 근원 borrow 동 차용하다 mean 동 의미하다 shadow 명 그늘 sunshade 명 햇빛 가리개 necessary 형 필요한 take on (특정한 모습을) 띠다 present 형 현재의 include 동 포함하다 century 명 세기, 백 년 place 명 장소 military 형 군사의 information 명 정보

LINK 실력 향상 WORKBOOK p.26

Main Idea

1 **본문의 요지로 가장 알맞은 것은?**

a. 몇몇 영어 단어는 여러 가지 뜻을 가진다.
b. 단어의 뜻은 시간이 흐르면서 변할 수 있다.
c. 많은 영어 단어는 다른 언어에서 유래한 것이다.
d. 영어는 이탈리아어와 아랍어에 큰 영향을 끼쳤다.

Details

2 **영어 단어 'magazine'이 16세기에 나타낸 뜻으로 가장 알맞은 것은?**

a. a house to keep different things in
b. a place where military things were kept
c. a book with various types of information
d. a piece of warm clothing that covered the upper body

Details

3 **다음 중 나머지와 다른 언어에서 유래된 단어는?**

a. jumper　　b. sofa　　c. magazine　　d. traffic

Summary

4 **Complete the summary with the words in the box.**

Arabic	languages	umbrella	sunshade

Many English words are borrowed from other __________. The word __________, for example, is from Italian. It meant a __________ when it came into English, and the meaning changed over time. *Piano*, *opera*, and *traffic* are from Italian, too. Some words are borrowed from __________. *Magazine*, *sofa*, and *giraffe* are examples.

지식 백과

cow는 영어, beef는 프랑스어?

1066년 프랑스의 노르만인들은 영국을 침략하여 약 300여 년간 지배했다. 그 결과 프랑스어는 영국 지배 계급의 언어가 되었고, 영어는 천한 사람들이 쓰는 언어로 하락하게 되었다. 동물 이름은 영어이지만 요리된 고기는 프랑스어인 이유도 이 때문이다. 영국 농민들은 소를 잡아 beef를, 돼지를 잡아 pork를 프랑스인 귀족에게 주어야 했기 때문이다.

영어의 역사를 동영상으로 확인해 보세요! Time 6' 38"

Reading 02

Idioms Have Rules

My Reading Time | Words 158 / 1분 45초

1회 ____분____초 2회 ____분____초

An idiom is a group of words, and means something different from the combined definitions of the words. So, understanding the meaning of an idiom is often not easy. For example, "break a leg" is a common idiom. If you take the meaning of each word and add them together, the idiom 5 seems rather cruel. But it actually means "Good luck."

Most idioms are fixed in their grammatical structure. (A) "Her grandson is the apple of her eye," means "She likes her grandson very much." "The apple of one's eye" is a common expression. (B) However, nobody says, "an apple of one's eye," or "apples of one's eye."

10 One more thing. (C) A part of an idiom cannot be replaced by a similar word. (D) "Eat one's words" is a common idiom, but "eat easily one's words" or "eat one's phrases" makes no sense at all. An idiom works like a single word.

Words

idiom 명 관용어구 rule 명 규칙 combined 형 결합된 definition 명 정의 common 형 흔한, 보통의 seem 동 …인 것 같다 rather 부 꽤 cruel 형 잔인한 fix 동 고정시키다 grammatical 형 문법의 structure 명 구조 expression 명 표현 replace 동 대체하다 similar 형 비슷한 make sense 말이 되다 phrase 명 구

Study Date: ______ / ______

LINK 실력 향상 WORKBOOK p.28

Main Idea

1 본문의 단어를 이용하여 각 단락의 요지를 완성하시오.

(1) Paragraph 1: An idiom is a __________ of words which has its own meaning.

(2) Paragraph 2: An idiom has a fixed __________ structure.

(3) Paragraph 3: An idiom acts like a __________ word.

Organization

2 주어진 문장이 들어가기에 가장 알맞은 곳은?

Nor can a word be added to an idiom.

a. (A)　　b. (B)　　c. (C)　　d. (D)

Details

3 다음 중 본문의 내용과 일치하는 것은?

a. 관용어구를 구성하는 단어의 순서는 정해져 있지 않다.
b. 관용어구는 구성하는 단어의 의미와 직접적으로 관련된다.
c. 관용어구는 그 나름대로의 규칙을 가지고 있다.
d. 관용어구의 단어는 비슷한 표현으로 대체될 수 있다.

Graphic Organizer

4 본문의 단어를 이용하여 관용어구에 관한 표를 완성하시오.

Idioms			
Definition	a group of words whose meaning cannot be easily guessed from the definitions of the words		
Feature 1	Most idioms have __________ grammatical structures.	Example →	• __________ apple of one's eye (○) • an apple of one's eye (×)
Feature 2	A similar word cannot replace a part of an idiom, nor can a __________ be added to it.	Example →	• eat one's __________ (○) • eat one's phrases (×) • eat easily one's words (×)

지식백과

관용어구와 속어(slang)의 차이

관용어구는 여러 단어로 구성되어 개별 단어와는 거의 관련이 없는 뜻을 나타내며, 경제적으로 의사소통을 할 수 있게 한다. 반면에, 속어는 특정한 집단의 사람들이 사용하는 표현으로서 집단 내의 유대감을 높이기 위해 주로 사용한다. 영어권 국가의 청소년들은 흔히 fam, skurt, CD9 등의 속어를 사용하는데, 이는 각각 'closest friends', 'go away', 'a parent is watching'을 뜻한다.

A Unit 07에서 학습한 단어를 생각해 보고, 다음 퍼즐을 완성해 보시오.

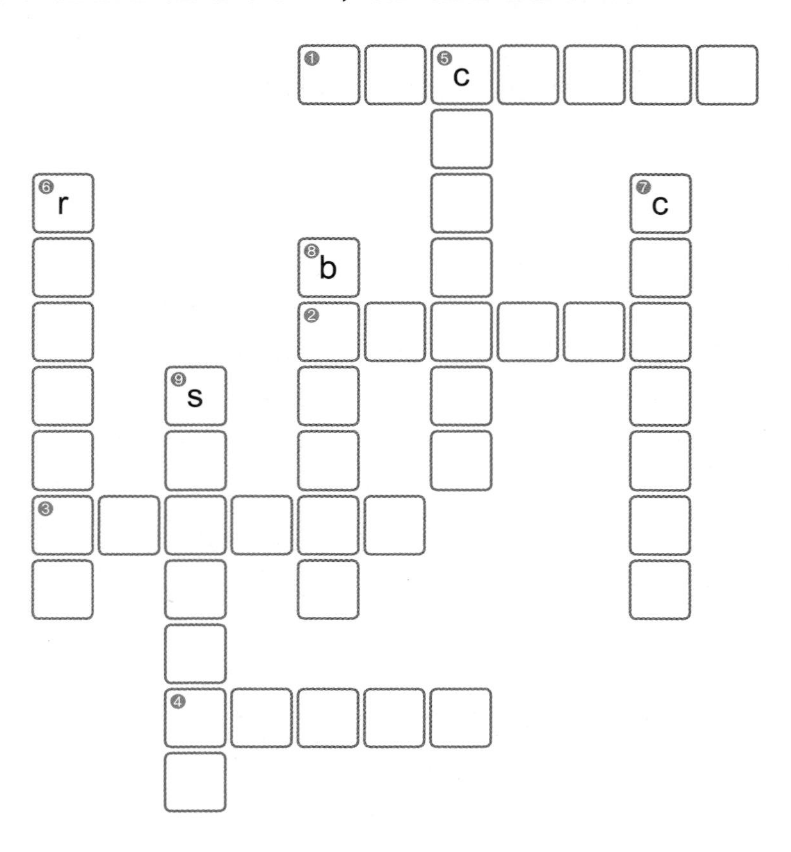

Across

❶ 포함하다

❷ the place where something begins or comes from

❸ English is a __________ language around the world.
(영어는 전 세계 공통 언어이다.)

❹ You are the __________ of my eye.
(나는 당신을 무척 좋아한다.)

Down

❺ 결합하다

❻ This new computer will __________ the old one.
(이 새 컴퓨터는 오래된 것을 대체할 것이다.)

❼ a period of 100 years

❽ to use a word from another language

❾ almost the same

Study Date: _____ / _____

B 다음 [보기]에서 알맞은 말을 골라 문장을 완성하시오.

보기 bomb single necessary common military

1 Spain had strong __________ power in the 16th century.

2 If you want a job, you should have the __________ skills for it.

3 Smith is a very __________ family name in the United States.

4 The terrorists planted a small __________ near the train station.

5 When he asked a difficult question, not a __________ student answered it.

생각을 키우는 서술형 • 수행평가 대비 훈련

C 다음 [보기]에서 알맞은 말을 골라 글을 완성하시오.

English is interesting. First, it __________ many words from other languages. For example, the word "piano" has an Italian __________, while the word "magazine" is from Arabic. English also has many __________ expressions called idioms. An idiom's meaning cannot be determined by adding the __________ of each word together. For example, "break a leg" is not related to breaking or a leg. You cannot __________ any part of the idiom with a similar word. So, "injure a leg" no longer means "Good luck."

보기 fixed includes definition replace origin

UNIT 08 I Can't See Well

생각의 폭을 넓히는 배경지식 Story

#Topic Justice

여러 가지 감각 중에 인간이 가장 의존하는 감각은 sight라고 해요. 그러므로 suddenly 우리가 blind하게 된다면 많은 것이 불편할 거예요. 예전과 같이 우리에게 필요한 것들을 눈으로 쉽게 확인할 수는 없을 테니까요. 그만큼 시각은 우리에게 중요한 부분이에요.

현대의 많은 사람들은 근시를 가지고 있어서 안경이나 렌즈와 같은 보조 기구 없이는 clearly 보지 못하는 경우가 많아요. 어쩌면 이 글을 읽는 여러분도 안경을 쓰고 있을 수도 있죠. 근시는 왜 생기는 걸까요? 과학자들은 유전적 요인도 있지만 환경적 요인도 중요하다고 이야기해요. 근시의 원인으로 과도한 학습이나 스트레스를 꼽기도 하고요. 책을 너무 오래 읽거나 가까이에서 읽는 것이 근시의 직접적인 원인이 될 수 있대요. 안타깝게도 현재는 아무리 많은 돈을 pay해도 나빠진 눈을 완전하게 cure할 수 있는 medicine은 나오지 않았어요. 그래서 우리는 평소에 소중한 눈을 잘 treat하는 것이 중요해요.

자, 이어지는 글은 인도의 작은 마을에서 일어난 이야기예요. 과연 judge는 노부인에게 일어난 일을 어떻게 해결했을지, 함께 읽어 볼까요?

본문 미리보기 QUIZ

1 노부인을 치료해 주는 의사는 알고 보니 [□ 판사였다. / □ 도둑이었다.]

66쪽에서 확인

2 판사는 노부인의 말을 듣고 [□ 재미있어서 / □ 상황을 이해하여] 미소를 지었다.

68쪽에서 확인

독해의 장벽을 깨는 만만한 Vocabulary

Study Date: ______ / ______

	단어	뜻	표현	
☐ 1	**bare** [bɛər]	형 텅 빈	텅 빈 방	a ________ room
☐ 2	**blind** [blaind]	형 눈이 먼	눈이 멀다	go ________
☐ 3	**clearly** [klíərli]	부 또렷하게	또렷하게 말하다	speak ________
☐ 4	**court** [kɔːrt]	명 법정	대법원	the supreme ________
☐ 5	**cure** [kjuər]	동 치료하다	환자를 치료하다	________ a patient
☐ 6	**judge** [dʒʌdʒ]	명 판사	현명한 판사	a wise ________
☐ 7	**pay** [pei]	동 지불하다	현금을 내다	________ cash
☐ 8	**promise** [prámis]	동 약속하다	굳게 약속하다	firmly ________
☐ 9	**quietly** [kwáiətli]	부 조용히	조용히 이야기하다	talk ________
☐ 10	**sight** [sait]	명 시력	시력이 좋다	have good ________
☐ 11	**smile** [smail]	동 미소 짓다	따스하게 미소 짓다	________ warmly
☐ 12	**suddenly** [sʌdnli]	부 갑자기	갑자기 깨닫다	realize ________
☐ 13	**treat** [triːt]	동 치료하다, 대하다	동등하게 대하다	________ equally
☐ 14	**understand** [ʌ̀ndərstǽnd]	동 이해하다	이해하기 쉬운	easy to ________
☐ 15	**unless** [ənlés]	접 …하지 않는 한	네가 믿지 않는 한	________ you believe

어휘 자신만만 QUIZ

1 그녀는 자신이 치료된 후에 그에게 돈을 주겠다고 약속했다.

She ____________ she would give him the money when she was cured.

2 나는 의사에게 제가 잘 볼 수 있게 되면 돈을 지불하겠다고 말했다.

I told the doctor I would ____________ him when I could see well.

Reading 01 She Lost Her Sight

My Reading Time | Words 174 / 2분 00초

1회 ____분 ____초 2회 ____분 ____초

A long time ago, there lived an old lady in a small town in India. She suddenly became blind. Since she lost her sight, she couldn't go out and take care of her little garden anymore. She felt sad and wanted to see again.

The old lady spent a lot of money on medicine. She was taken to one doctor after another. Still she couldn't see. 5

At last, there came a doctor called Danbad. He said he would cure her if she gave him a large sum of money. She promised she would give him the money when she was cured. So the doctor came every day to treat the old lady. 10

But Danbad was a thief. Every day he took something away from the old lady's house. He first took away the boxes, then the chairs, and then even the tables. But he gave the lady good medicine, and she was finally __________.

"Now," said the doctor, "give me my money." 15

"I won't," replied the lady.

So the doctor took her to court.

Words

lose 동 잃다 sight 명 시력 suddenly 부 갑자기 blind 형 눈이 먼 anymore 부 더 이상 spend 동 (돈을) 쓰다 medicine 명 약 cure 동 치료하다 sum 명 액수 promise 동 약속하다 treat 동 치료하다, 대하다 thief 명 도둑 take ... away …을 가져가다 finally 부 마침내 reply 동 대답하다 court 명 법정

LINK 실력 향상 WORKBOOK p.30

Feelings

1 **Danbad를 만나기 전에 노부인이 느낀 감정으로 가장 알맞은 것은?**

a. happy
b. angry
c. worried
d. hopeful

Words

2 **밑줄 친 sight의 뜻으로 가장 알맞은 것은?**

a. ability to see
b. ability to walk
c. ability to hear
d. ability to talk

Inference

3 **본문의 빈칸에 들어갈 말로 가장 알맞은 것은?**

a. blind
b. cured
c. cared
d. seen

Prediction

4 **다음에 이어질 내용을 예상해 보고, 각 문장을 완성하시오.**

The lady will ______________________________

____

The doctor will ______________________________

____

The judge will ______________________________

____

지식 백과

실명(blindness) 예방

모든 질병은 발병하기 전에 미리 예방하는 것이 바람직하며, 질병이 생기더라도 조기에 진단하여 치료하면 피해를 최소화할 수 있다. 실명의 경우도 예외는 아니다. 무엇보다도 주기적인 시력 검사를 받는 것이 중요하다. 그리고 눈이 계속해서 충혈이 되거나, 눈이 계속해서 불편하거나 아플 때, 눈물 또는 분비물이 계속 나올 때에는 신속하게 안과 전문의의 진찰을 받을 필요가 있다. 일단 실명 상태에 이르면 눈의 시력을 회복하기는 쉽지 않으므로 평상시 눈의 관리가 중요하다.

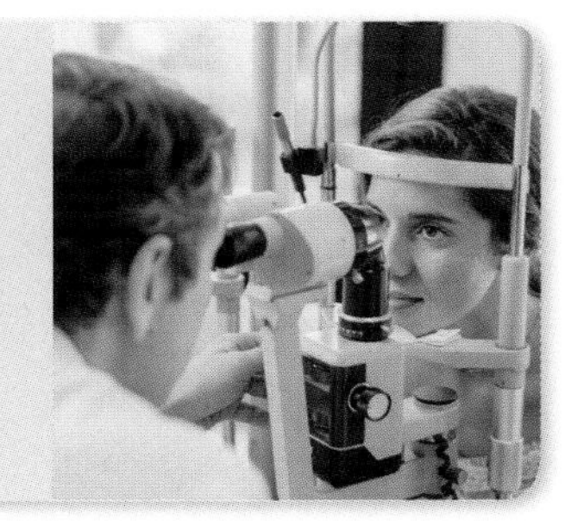

Reading 02

They Went to Court

My Reading Time | Words 148 / 1분 40초

1회 ____분____초 2회 ____분____초

In the courtroom, the judge said to the old lady: "The doctor cured you, so why didn't you pay him (A) [no / any] money?" The old lady told the judge: "I told the doctor I would pay him when I could see well. But I can't see well. Before I was blind, I could see tables, chairs, and boxes in my house. Now I can see only bare walls. So I'm not completely cured."

When the judge heard the lady's story, he understood and smiled. "Dr. Danbad," he said, "unless you (B) [can / cannot] make the lady see all her furniture and other things in the house, she doesn't have to pay you anything."

Danbad said to the judge: "It'll take just one more day. Tomorrow the old lady will see clearly." That night the doctor went and quietly put back all the things he had taken from the old lady's house.

Words courtroom 명 법정 judge 명 판사 pay 동 지불하다 well 부 잘 bare 형 텅 빈 hear 동 듣다 understand 동 이해하다 smile 동 미소 짓다 unless 접 …하지 않는 한 furniture 명 가구 anything 대 아무것도 just 부 단지 clearly 부 또렷하게 quietly 부 조용히 put ... back …을 제자리에 갖다 놓다

LINK 실력 향상 WORKBOOK p.32

1 Tone

본문의 어조로 가장 알맞은 것은?

a. tragic
b. horrible
c. witty
d. serious

2 Details

문장을 읽고 본문의 내용과 일치하면 T, 일치하지 않으면 F를 쓰시오.

(1) ______ The judge believed the lady's story.

(2) ______ The lady was able to see her things clearly.

(3) ______ Danbad paid for the lady's furniture.

3 Grammar

(A)와 (B)에 들어갈 말로 바르게 짝지어진 것은?

	(A)	(B)		(A)	(B)
a.	no ……	can	b.	any ……	can
c.	no ……	cannot	d.	any ……	cannot

4 Summary

Complete the summary with the words in the box.

return	judge	doctor	pay	blind	see

A doctor named Danbad treated a __________ lady. But she wouldn't pay the doctor. In the court, the __________ heard the lady's story and understood the situation. He knew the __________ had taken things from the lady's house. He said the lady didn't have to __________ until she could __________ her things clearly. The doctor had to __________ the lady's things that night.

지식백과

법정 소송의 종류

소송은 대표적으로 형사 소송과 민사 소송으로 나뉜다. 형사 소송은 국가나 사회의 질서를 어긴 범죄자를 처벌하는 소송이고, 민사 소송은 개인 간의 이해관계에 문제가 생겼을 때 한다. 다른 사람과의 분쟁을 해결해 달라고 요청하는 사람을 원고(plaintiff)라고 하며, 반대 입장에 서 있는 당사자를 피고(defendant)라고 부른다. 이야기에서는 Danbad가 민사 소송의 원고이며, 노부인은 피고이다.

민사 소송과 형사 소송에 관한 동영상을 확인해 보세요. Time 1' 18"

Reading Closer

독해의 내공을 키우는 마무리 학습

A

Unit 08에서 학습한 단어를 생각해 보고, 다음 퍼즐을 완성해 보시오.

Across

❶ 현명한 판사: a wise __________

❷ to know the meaning of something

❸ 눈이 멀다: become __________

❹ coins or pieces of paper with value

❺ to answer

Down

❻ 텅 빈 벽: __________ walls

❼ items such as chairs and tables that are used in a home

❽ He gave the old lady good __________.
(그는 노부인에게 좋은 약을 주었다.)

❾ 갑자기 깨닫다: realize __________

B 다음 [보기]에서 알맞은 말을 골라 문장을 완성하시오.

보기 reply sum sight cure furniture

1 She bought a sofa, a bed, and other __________.

2 At that time, it was considered a large __________ of money.

3 I sent the history teacher an e-mail, but he did not __________.

4 Scientists claimed that the new medicine would __________ cancer.

5 He has poor __________, so he needs glasses to read newspapers.

생각을 키우는 서술형 • 수행평가 대비 훈련

C 다음 네모 안에서 알맞은 말을 골라 글을 완성하시오.

Yesterday I read the story about a [blind / deaf] woman in India. I felt very sad that no [diet / medicine] helped her see. I expected that the lady would finally be able to see when she met a doctor called Danbad. However, the doctor was only a [cook / thief]. It was unfair of the doctor to bring the lady to [court / hospital]. I thought that the lady would lose the case. However, the [judge / patient] brought the doctor to justice. In the future, I want to help people in the courtroom.

생각의 폭을 넓히는 배경지식 Story

#Topic Doodles

여러분은 자기의 inner 세계가 어떤지 궁금했던 적이 있을 거예요. 그런데 researcher들에 따르면 그림이 우리의 무의식을 나타낼 수 있다고 해요. 이것을 알아볼 수 있는 대표적인 것은 HTP(House-Tree-Person, 집-나무-사람) 검사가 있어요.

먼저 participant에게 종이와 연필을 사용해 집과 나무, 사람을 자유롭게 그리게 해요. 완성된 그림을 보면 그 사람의 mood나 confidence 등을 알 수 있다고 해요. 집 그림에는 가족관계에 대한 자기 생각과 감정이 드러나고, 나무 그림에는 자기 자신을 어떻게 바라보는지에 대한 생각을 알 수 있어요. 마지막으로 사람 그림에는 자기 자신 뿐 아니라 다른 사람에 대한 생각이 반영된다고 해요.

HTP 검사는 우리의 속마음에 focus하게 해 자기 자신을 더 잘 이해하게 도와주죠. 이러한 심리 검사에는 HTP검사 뿐 아니라 다양한 검사가 있어요. 이어지는 지문에도 그림을 끄적거리는 것, 즉 doodle을 통해서 여러분의 personality를 짐작할 수 있는 방법이 mention되어 있어요. 궁금하지 않나요? 단, 이런 해석이 항상 accurate한 것은 아니니 유의하세요!

본문 미리보기 QUIZ

1 낙서는 그리는 사람의 [□ 사회적 지위에 / □ 현재 기분에] 의해서 영향을 받는다. 74쪽에서 확인

2 한 연구 결과에 따르면, 낙서는 집중에 [□ 도움이 / □ 방해가] 된다. 76쪽에서 확인

독해의 장벽을 깨는 만만한 Vocabulary

Study Date: ______ / ______

	Word		예시	
□ 1	**accurate** [ǽkjurət]	형 정확한	정확한 데이터	________ data
□ 2	**ambitious** [æmbíʃəs]	형 야심 있는	야심 있는 목표	an ________ goal
□ 3	**attention** [əténʃən]	명 주의	주의를 기울이다	pay ________
□ 4	**boring** [bɔ́ːriŋ]	형 지루한	지루한 이야기	a ________ story
□ 5	**confidence** [kánfidəns]	명 자신감	자신감을 얻다	gain ________
□ 6	**doodle** [dúːdl]	명 낙서	낙서를 그리다	draw ________s
□ 7	**focus** [fóukəs]	동 집중하다	문제에 집중하다	________ on a problem
□ 8	**inner** [ínər]	형 내면의	내면세계	the ________ world
□ 9	**logical** [ládʒikəl]	형 논리적인	논리적 사고	________ thinking
□ 10	**mention** [ménʃən]	동 언급하다	이름을 언급하다	________ the name
□ 11	**mood** [muːd]	명 기분	좋은 기분	a good ________
□ 12	**participant** [pɑːrtísəpənt]	명 참가자	최고령 참가자	the oldest ________
□ 13	**personality** [pə̀ːrsənǽləti]	명 성격	외향적인 성격	an outgoing ________
□ 14	**researcher** [risə́ːrtʃər]	명 연구원	로봇 연구원	a robot ________
□ 15	**sensitive** [sénsətiv]	형 민감한	민감한 문제	a ________ issue

어휘 자신만만 QUIZ

1 몇몇 사람들은 이런 낙서들이 사람들의 내면세계를 보여 준다고 믿고 있다.

Some people believe that these ____________ show people's inner world.

2 이 연구에서 연구자들은 40명의 참가자들을 두 집단으로 나누었다.

In the study, researchers divided forty ____________ into two groups.

Reading 01

Doodles Tell About You

My Reading Time | Words 139 / 1분 35초

1회 ____분____초 2회 ____분____초

Do you ever doodle or draw something without thinking? Lots of people do, during a meeting or in class. Some people believe that these doodles show people's inner world. According to this idea, the shapes you draw can show your ________.

5 If you draw triangles or squares, you have a logical way of thinking. You may also be a good planner. If you draw flowers or plants, you are sensitive, warm, and kind. Arrows and ladders may show that you are ambitious. Funny faces mean a good sense of humor, whereas ugly faces show a lack of confidence.

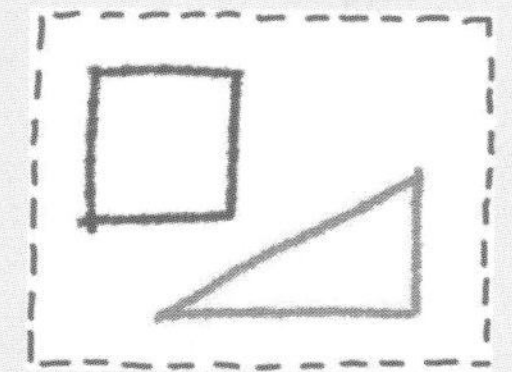

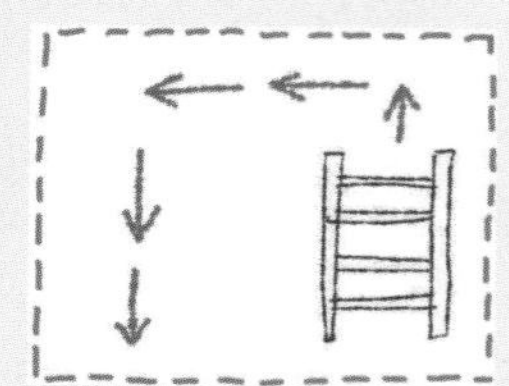

10 Doodles are affected not only by people's personality but also by their present mood. Therefore, you need to be careful about their meanings. If you know a person's current mood, the meaning of his or her doodles will be more accurate.

Words

doodle 명 낙서 inner 형 내면의 according to …에 따르면 shape 명 모양 logical 형 논리적인 sensitive 형 민감한 ladder 명 사다리 ambitious 형 야심 있는 lack 명 부족, 결핍 confidence 명 자신감 affect 동 영향을 미치다 personality 명 성격 mood 명 기분 current 형 현재의 accurate 형 정확한

LINK 실력 향상 WORKBOOK p.34

Main Idea

1 본문의 단어를 이용하여 각 단락의 요지를 완성하시오.

(1) Paragraph 1: Doodles show people's __________ world.
(2) Paragraph 2: Different doodles have different __________.
(3) Paragraph 3: People's current __________ also affects what they doodle.

Inference

2 빈칸에 들어갈 말로 가장 알맞은 것은?

a. hobby
b. personality
c. talent
d. age

Words

3 밑줄 친 current의 뜻으로 가장 알맞은 것은?

a. present
b. past
c. accurate
d. inner

Summary

4 Complete the summary with the words in the box.

humorous	ambitious	personality	mood	drawings

Doodles, __________ done without thinking, can show a person's __________. Logical people draw triangles and squares, kind people draw flowers or plants, __________ people draw arrows and ladders, and __________ people draw funny faces. Also, their __________ influences people's doodles.

지식백과

혈액형 성격설

흔히 A형은 소심하고 내성적이며, O형은 적극적이고 외향적이라고 믿는다. 이러한 믿음은 특히 한국과 일본에 널리 퍼져 있다. 하지만, 혈액형 성격설을 뒷받침하는 과학적인 근거는 거의 없다. 혈액형(blood type)이란 적혈구 내 항원의 유무 또는 조합으로 혈액을 분류하는 방식이다. 혈액형이 동일한 일란성 쌍둥이의 경우에도 흔히 성격이 매우 다르다는 점은 혈액형 성격설이 근거가 없음을 보여 준다.

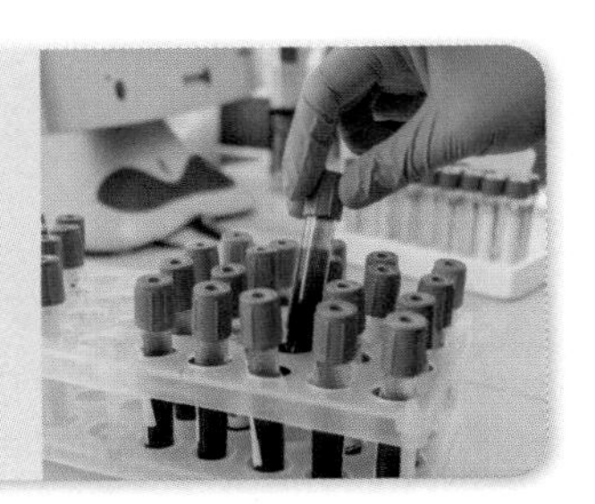

Reading 02

Doodlers Are Listening, Too

My Reading Time | Words 137 / 1분 35초

1회 ____분 ____초 2회 ____분 ____초

Someone is doodling during a meeting. People say the person is not paying attention. Is this really the case? A new study suggests otherwise.

In the study, researchers divided forty participants into two groups. They asked each group to listen to a short tape. But they made one group draw some shapes while listening. On the tape, a woman made a lot of small talk about a birthday party. She mentioned eight place names. She also talked about eight people who were coming to the party.

To the researchers' surprise, the group who doodled remembered the information on the tape better. They remembered 7.5 pieces of information (out of 16) on average. The non-doodlers remembered only 5.8. The researchers say: perhaps doodling kept participants from daydreaming. It also helped them focus as they listened to boring information.

Words

during 전 …동안 meeting 명 회의 attention 명 주의 suggest 동 암시하다 otherwise 부 달리
researcher 명 연구원 divide 동 나누다 participant 명 참가자 group 명 집단 small talk 잡담
mention 동 언급하다 perhaps 부 아마도 daydream 동 공상에 잠기다 focus 동 집중하다 boring 형 지루한

Study Date: ______ / ______

LINK 실력 향상 WORKBOOK p.36

Topic

1 **본문의 다른 제목으로 가장 알맞은 것은?**

a. Are You a Daydreamer?

b. How to Remember Things Well

c. Is Doodling Good for Paying Attention?

d. Drawing Pictures for Fun

Details

2 **다음 중 본문의 내용과 일치하는 것은?**

a. 연구 참가자들은 세 집단으로 나누어졌다.

b. 연구의 목적은 낙서의 유형을 확인하는 것이었다.

c. 참가자들은 역사적 사건의 연도를 포함하는 말을 들었다.

d. 낙서를 하지 않은 참가자는 6개 미만의 정보를 기억했다.

Reference

3 **밑줄 친 otherwise의 뜻을 설명하는 문장을 완성하시오.**

➔ People are paying attention while they are __________.

Graphic Organizer

4 **본문의 단어를 이용하여 표를 완성하시오.**

General Belief	Surprising Findings	Conclusion
People who doodle don't __________ __________.	The group who __________ while listening __________ better than the non-doodling group.	Doodling keeps people from __________, and helps them focus.

지식 백과

MBTI 검사

MBTI는 마이어스와 브릭스가 스위스의 정신분석학자인 카를 융의 심리 유형론을 토대로 고안한 성격 유형 검사 도구이다. MBTI는 시행이 쉽고 간편하여 학교, 직장, 군대 등에서 광범위하게 사용되고 있다. MBTI는 4가지 분류 기준, 외향-내향(E-I) 지표, 감각-직관(S-N) 지표, 사고-감정(T-F) 지표, 판단-인식(J-P) 지표가 조합된 양식을 통해 16가지 성격 유형을 설명하여, 성격적 특성과 행동의 관계를 이해하도록 돕는다. 간단한 MBTI 검사를 통해 여러분은 자신의 성격과 적당한 직업에 대해 조언을 받을 수 있다.

MBTI 검사에 관한 설명을 동영상으로 확인해 보세요! Time 3' 40''

Reading Closer

독해의 내공을 키우는 **마무리 학습**

A

Unit 09에서 학습한 단어를 생각해 보고, 다음 퍼즐을 완성해 보시오.

Across

❶ 부족, 결핍

❷ a similar word of "present"

❸ 최고령 참가자: the oldest ________

❹ not interesting or exciting

Down

❺ to cause a change

❻ 공상에 잠기다

❼ correct or exact

❽ wanting to be successful or powerful

❾ Doodles can show people's ________ world.
(낙서는 사람들의 내면세계를 보여 줄 수 있다.)

Study Date: ______ / ______

B 다음 [보기]에서 알맞은 말을 골라 문장을 완성하시오.

보기	suggest	divide	logical	confidence	affect

1 The boxer lost __________ after losing several fights.

2 I thought about the problem and made a __________ decision.

3 People's attitudes can __________ how successful they will be.

4 The findings of the study __________ that doodling can be helpful.

5 If you __________ 20 by 4, you will get 5.

생각을 키우는 서술형 • 수행평가 대비 훈련

C 다음 [보기]에서 알맞은 말을 골라 글을 완성하시오.

Do you ever doodle or draw something without really thinking? Lots of people do, during a meeting or in class. Doodles can show your __________ and present mood. Some people think that doodlers are not paying __________. Surprisingly, however, one recent study shows that this belief may not be __________. According to the study, doodlers can actually remember more __________ than non-doodlers. Perhaps doodling can help us avoid daydreaming and __________ better.

보기	information	attention	accurate	personality	focus

UNIT 10 Puzzles to Solve

생각의 폭을 넓히는 배경지식 Story

#Topic Puzzles

심심할 때 뭔가 재미있는 일이 필요할 때, 눈앞에 puzzle이 있다면 너무 신나겠죠? 수수께끼를 풀기 위해서는 많은 생각과 고민이 필요하지만 아마 이것을 hate하는 사람은 별로 없을 거예요. 대부분의 수수께끼는 우릴 confuse하게 만들고 우린 그중에 무엇이 진실인지, 또 어떤 것이 false인지 맞추는 과정에서 재미를 느낄 수 있어요.

이런 수수께끼의 역사는 고대 이집트 시대까지 거슬러 올라가요. 기원전 1650년경 고대 이집트의 파피루스에는 이런 수수께끼가 실려 있어요. "옛날에 7명의 부인이 7개의 가방을 가지고 있었다. 7개의 가방에는 각각 7 마리의 고양이가 있고, 7마리의 고양이는 각각 7마리의 새끼를 데리고 있다. 새끼 고양이, 고양이, 가방, 부인을 모두 합치면 몇 명일까?" 이 수수께끼는 사실 수학과 관련이 있어요. 많은 수수께끼들은 우리의 논리적인 사고력을 키우기 위해 만들어졌기 때문에 수학을 except하고 말할 수는 없죠. 또한 많은 수학자들과 과학자들이 수수께끼 같은 문제를 solve하려고 하다가 예기치 못한 놀라운 발견을 하기도 했죠.

다음의 지문에는 재미있는 수수께끼들이 실려 있어요. 아마 여러분도 잘 생각해 보면 다음 수수께끼의 답이 무엇인지 answer할 수 있을 거예요. 이제 함께 글을 읽어 볼까요?

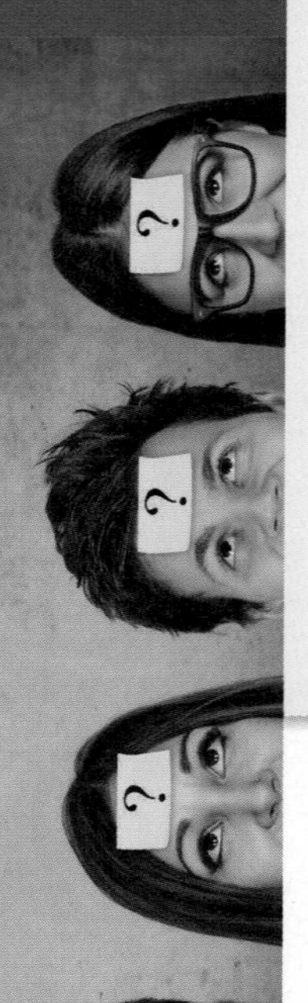

본문 미리보기 QUIZ

1 왕은 모든 음식을 좋아했지만 [□ 마늘은 / □ 양파는] 싫어했다. 82쪽에서 확인

2 선장은 자신의 반지를 가져간 도둑이 누구인지 [□ 바로 알았다. / □ 알진 못했다.] 84쪽에서 확인

독해의 장벽을 깨는 만만한 Vocabulary

Study Date: ____ / ____

☐ 1	**answer**	[ǽnsər]	동 대답하다	질문에 대답하다	________ the question
☐ 2	**case**	[keis]	명 사건	살인 사건	a murder ________
☐ 3	**confuse**	[kənfjúːz]	동 혼란시키다	논점을 혼란시키다	________ the issue
☐ 4	**correct**	[kərékt]	동 바로잡다	실수를 바로잡다	________ mistakes
☐ 5	**except**	[iksépt]	전 …을 제외하고	일요일을 제외하고	________ on Sunday
☐ 6	**false**	[fɔːls]	형 거짓의	거짓 진술	________ statements
☐ 7	**hang**	[hæŋ]	동 걸다, 매달다	그림을 걸다	________ pictures
☐ 8	**hate**	[heit]	동 몹시 싫어하다	서로 미워하다	________ each other
☐ 9	**inspect**	[inspékt]	동 점검하다	장비를 점검하다	________ equipment
☐ 10	**lift**	[lift]	동 들어 올리다	무거운 것을 들다	________ heavy things
☐ 11	**missing**	[mísiŋ]	형 사라진	사라진 조각들	________ pieces
☐ 12	**prepare**	[pripɛ́ər]	동 준비하다	식사를 준비하다	________ a meal
☐ 13	**sail**	[seil]	동 항해하다	대양을 항해하다	________ the ocean
☐ 14	**scream**	[skriːm]	동 소리치다	화가 나서 소리치다	________ in anger
☐ 15	**sign**	[sain]	명 표지판	교통 표지판	a traffic ________

어휘 자신만만 QUIZ

1 왕은 숟가락을 들어 스프의 맛을 보고 소리를 질렀다.

The king lifted his spoon, tasted his soup, and ____________.

2 선장이 돌아왔을 때, 그 반지는 없어졌다.

When the captain returned, the ring was ____________.

Reading 01

Garlic in the King's Soup

My Reading Time | Words 150 / 1분 45초

1회 ____분____초 2회 ____분____초

Once upon a time, there was a king who hated garlic. He loved to eat everything, except garlic. One day, he sat down at his table to eat his lunch. He lifted his spoon, tasted his soup, and screamed, "Who put garlic in my soup?"

The king got very angry, and he called for the three royal cooks: Noodle Poodle, Harry Berry and Chilly Billy. The cooks knew that they were in trouble. Before they entered the royal dining room, they decided to confuse the king. So each cook had a sign hanging around his neck.

Noodle Poodle: Chilly Billy did not put garlic in the king's soup.

Harry Berry: I put garlic in the king's soup.

Chilly Billy: I put garlic in the king's soup.

The cooks said that two signs were true, and that one sign was false. Can you decide who put garlic in the king's soup?

Words

garlic 명 마늘 hate 동 몹시 싫어하다 except 전 …을 제외하고 lift 동 들어 올리다 taste 동 맛보다 scream 동 소리치다 put ... in …을 넣다 royal 형 왕궁의 cook 명 요리사 in trouble 곤경에 빠져서 dining room 식당 confuse 동 혼란시키다 sign 명 표지판 hang 동 걸다, 매달다 false 형 거짓의

LINK 실력 향상 WORKBOOK p.38

Title

1 본문의 다른 제목으로 가장 알맞은 것은?

a. I Love Garlic
b. A Riddle for the King
c. Garlic Is Good for Your Health
d. How to Choose the Best Cook

Details

2 왕이 화가 난 이유로 가장 알맞은 것은?

a. 수수께끼를 풀 수 없었다.
b. 누군가 수프에 마늘을 넣었다.
c. 그의 식사가 늦게 나왔다.
d. 요리사들이 그를 혼란스럽게 만들었다.

Inference

3 다음 질문에 대한 답을 영어로 쓰시오.

Who put garlic in the king's soup?

➔ ________________________ did.

Graphic Organizer

4 본문의 단어를 이용하여 이야기의 줄거리를 완성하시오.

Plot of the Story

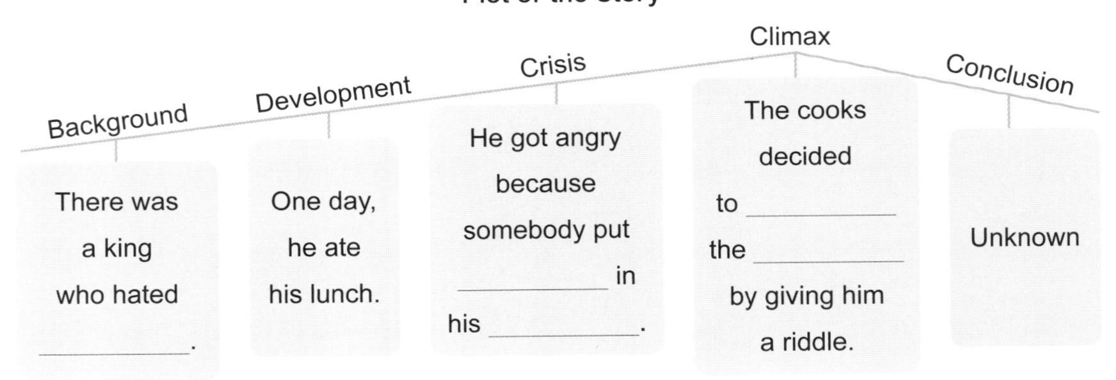
Background
There was a king who hated ________.
Development
One day, he ate his lunch.
Crisis
He got angry because somebody put ________ in his ________.
Climax
The cooks decided to ________ the ________ by giving him a riddle.
Conclusion
Unknown

지식 백과

마늘의 효능

김치, 나물, 쌈 요리까지 많은 한식에서 마늘은 없어서는 안 되는 재료이다. 마늘에 들어 있는 알리신(allicin)이라는 성분이 매운 맛을 내며, 마늘을 굽거나 튀기면 알리신이 파괴되어 매운 맛이 크게 줄어든다. 마늘은 미국의 주간지 *Time*이 2002년에 선정한 10대 건강식품 중에 포함되어 있다. 마늘은 강력한 항균 작용을 하므로 몸에 좋은 식품이지만, 너무 많이 섭취하면 위장이 불편해 질 수 있다.

Reading 02

A Case at Sea

My Reading Time | Words 143 / 1분 35초

1회 ____분 ____초 2회 ____분 ____초

An Austrian ship was sailing to an island. It was time for the captain to inspect the ship. He took off his ring ________ his finger hurt. He left it on the table next to his bed. When he returned, it was missing.

The captain thought of three people who probably took his ring. He asked each of them, "Where were you for the last twenty minutes?" The cook answered, "I was in the kitchen and prepared tonight's dinner." Then the engineer said, "I was working in the engine room. I had to make sure that everything was running smoothly." Finally, the seaman replied, "I was at the front of the ship. I had to correct the flag ________ it was upside down by mistake."

In an instant, the captain knew the seaman had taken his ring. How did he know for sure?

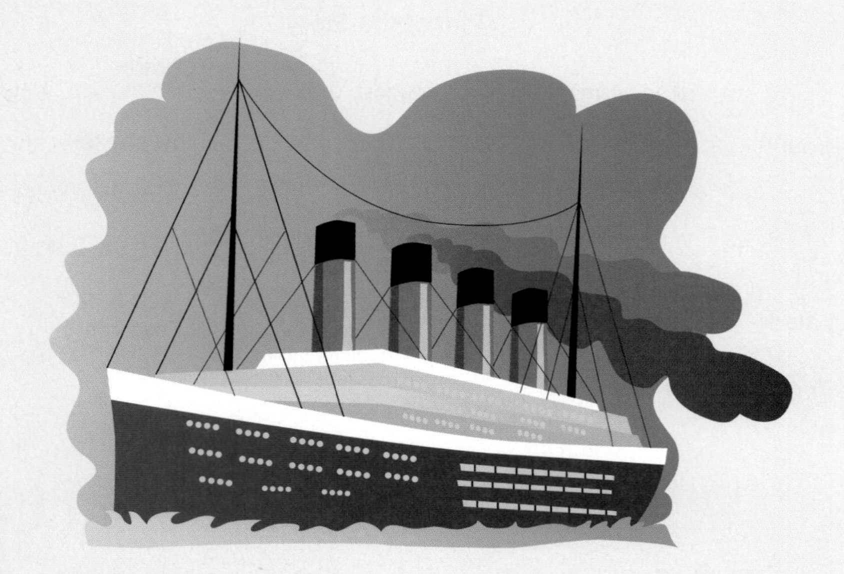

Words

case 명 사건 Austrian 형 오스트리아의 sail 동 항해하다 captain 명 선장 inspect 동 점검하다 missing 형 없어진 probably 부 아마도 answer 동 대답하다 prepare 동 준비하다 smoothly 부 부드럽게 seaman 명 선원 correct 동 바로잡다 flag 명 깃발 upside down 거꾸로 mistake 명 실수

LINK 실력 향상 WORKBOOK p.40

Purpose

1 본문의 목적으로 가장 알맞은 것은?

a. to give advice to the reader
b. to warn the reader
c. to entertain the reader
d. to ask for help

Linking

2 빈칸에 공통으로 들어갈 말로 가장 알맞은 것은?

a. before
b. though
c. that
d. because

Details

3 선장에 관한 설명 중 본문의 내용과 일치하지 않는 것은?

a. 반지를 도난당했다.
b. 세 사람을 의심했다.
c. 요리사에게 먼저 물어봤다.
d. 배의 앞부분에서 반지를 찾았다.

Summary

4 Complete the summary with the words in the box.

sure	inspect	correct	ring	prepare

On an Austrian ship, someone took the captain's __________ while he went to __________ the ship. The cook said he had to __________ dinner in the kitchen. The engineer said he had to check the engine room. The seaman said he had to __________ the flag which was upside down. The captain was __________ that the seaman was the thief. The Austrian flag cannot be upside down.

지식 백과

오스트리아 국기에 관한 전설

오스트리아에는 두 종류의 국기가 있는데, 주로 사용되는 것은 상단과 하단에 가로로 빨간색 줄이 있고, 그 사이에 흰색 줄이 위치한 모양으로서 1945년부터 공식적인 국기로 이용되고 있다. 전설에 따르면, 1191년 십자군 전쟁에서 Leopold 5세 공작의 옷이 피로 얼룩졌으나 허리띠를 벗어 보니 피가 묻지 않은 흰색 부분이 보였다고 한다. 이를 기억하기 위해 국기의 색을 빨간색과 흰색으로 했다고 한다.

나라별 국기의 의미를 동영상으로 확인해 보세요! Time 4' 19''

Reading Closer

독해의 내공을 키우는 마무리 학습

A

Unit 10에서 학습한 단어를 생각해 보고, 다음 퍼즐을 완성해 보시오.

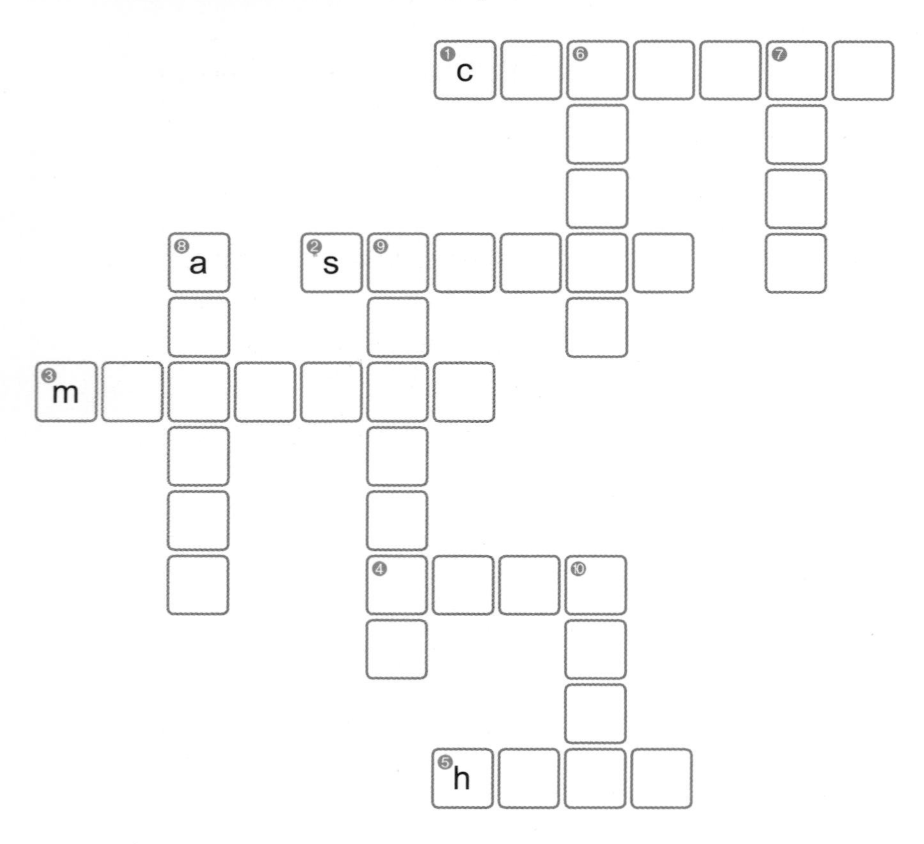

❶ 바로잡다

❷ to shout in a loud voice

❸ The captain can't find his ring; it is __________.
(선장은 그의 반지를 찾을 수 없다, 그것은 사라졌다.)

❹ to travel on water in a ship

❺ to dislike

❻ relating to a king or queen

❼ someone who prepares and makes food

❽ a response to a question

❾ 혼란시키다

❿ He is strong enough to __________ heavy things.
(그는 무거운 것을 들 만큼 충분히 힘이 세다.)

B 다음 [보기]에서 알맞은 말을 골라 문장을 완성하시오.

보기	lift	scream	island	sail	decide

1 In the future, I want to live on a beautiful __________.

2 The fans continued to __________ as the singer performed on stage.

3 They both look great, and I cannot __________ which one to buy.

4 He wanted to __________ around the world in his own yacht.

5 Will you help me __________ this table?

생각을 키우는 서술형 • 수행평가 대비 훈련

C 다음 네모 안에서 알맞은 말을 골라 글을 완성하시오.

Hints in a story containing a puzzle can [compare / confuse] you, but you can solve the puzzle by thinking carefully. "Garlic in the King's Soup" is an example. It is about three [loyal / royal] cooks. One of them put garlic in the king's soup, but the king [hated / loved] garlic. They tried to get out of [court / trouble]. "A Case at Sea" is another example. It is about a ship's [engineer / captain]. Somebody stole his ring, but he was able to find the thief.

생각의 폭을 넓히는 배경지식 Story

#Topic Mathematics

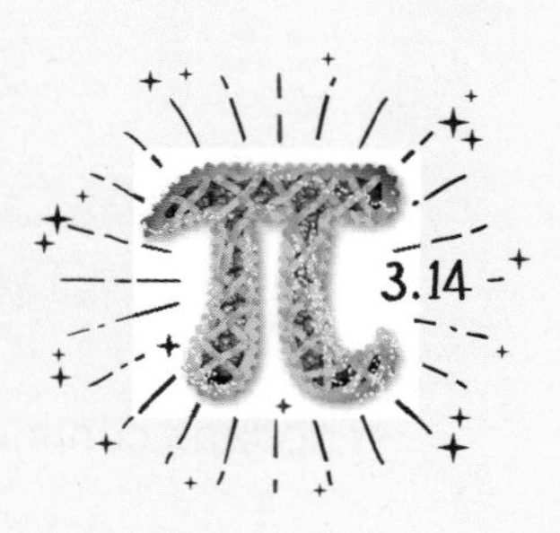

우리가 수학 시간에 useful하게 쓰고 있는 π 기호는 고대 그리스어에서 유래했어요. 즉, 그리스어로 '주위, 원주'를 뜻하는 '페리페리아'의 맨 앞글자인 'π'를 따온 것이에요. 이 기호를 누가 처음 쓰기 시작하였는지는 explain할 수는 없지만, 스위스의 유명한 수학자 오일러가 1748년 사용한 후부터 널리 알려져서 다른 수학자들도 이 기호를 쓰게 되었다고 해요. 그 이후의 서유럽의 수학자들 사이에서는 원주율의 price를 계산하는 경쟁이 벌어져서, 어떤 사람은 평생을 다 바쳐서 원주율만을 계산하기도 했다고 하니, 정말 놀랍죠?

20세기에는 원주율을 컴퓨터로 보다 정확하게 계산할 수 있게 되었고, 1960년대 미국에서 컴퓨터로 소수점 이하 10만 자리까지의 원주율을 계산해 내었다고 해요. 대체 π의 값은 어디까지 계속되는지 imagine할 수가 없어요. 어떤 사람은 "원은 세상에서 가장 아름다운 도형이지만, 원주율은 세상에서 가장 보기 싫은 수이다."라고 말하기까지 했다고 해요.

지금의 결과를 얻기까지, 많은 수학자들과, 과학자들의 노력으로 우리는 일상생활에서 mathematical한 지식을 사용해 쉽게 원의 넓이를 구할 수 있게 되었어요. 그런데 이런 수학적인 fact를 몰라서 비극을 맞이한 한 농부의 슬픈 이야기가 있답니다. 이어지는 글에서 확인해 볼게요.

본문 미리보기 QUIZ

1 농부 Pahom은 걸어서 다시 시작점으로 [☐ 돌아오지 못했다. / ☐ 돌아왔다.] 90쪽에서 확인

2 Pahom이 [☐ 삼각형 / ☐ 원] 모양으로 걸었다면 가장 큰 땅을 가질 수 있었다. 92쪽에서 확인

독해의 장벽을 깨는 만만한 Vocabulary

Study Date: ______ / ______

	Word		Meaning	표현	Expression
□ 1	**assume** [əsjú:m]	동	가정하다	사실이라고 가정하다	______ it is true
□ 2	**dig** [dig]	동	파다	땅을 파다	______ the ground
□ 3	**edge** [edʒ]	명	가장자리	벼랑 끝	______ of the cliff
□ 4	**exception** [iksépʃən]	명	예외	예외로 하다	make an ______
□ 5	**explain** [ikspléin]	동	설명하다	충분히 설명하다	fully ______
□ 6	**fact** [fækt]	명	사실	역사적 사실	a historical ______
□ 7	**heel** [hi:l]	명	(발)뒤꿈치	뒤꿈치를 들다	lift the ______s
□ 8	**imagine** [imǽdʒin]	동	상상하다	그 장면을 상상하다	______ the scene
□ 9	**mathematical** [mæ̀θəmǽtikəl]	형	수학의	수학적인 능력	______ skills
□ 10	**price** [prais]	명	가격, 값	가격표	a ______ tag
□ 11	**reach** [ri:tʃ]	동	도달하다	목표에 도달하다	______ the goal
□ 12	**realize** [rí:əlàiz]	동	깨닫다	갑자기 깨닫다	______ suddenly
□ 13	**straight** [streit]	부	똑바로	똑바로 가다	go ______
□ 14	**triangle** [tráiæ̀ŋgəl]	명	삼각형	직각 삼각형	the right ______
□ 15	**useful** [jú:sfəl]	형	유용한	유용한 정보	______ information

어휘 자신만만 QUIZ

1 Pahom은 낮은 가격으로 땅을 살 수 있었다.

Pahom could buy land at a low ______.

2 하루에 60km를 걸을 수 있다고 상상해 보자.

______ that you can walk 60 kilometers in a day.

Reading 01

How Much Land Does a Man Need?

My Reading Time | Words 159 / 1분 45초

1회 ____ 분 ____ 초 2회 ____ 분 ____ 초

Pahom was a farmer who always wanted to have more land. One day he heard about the land of the Bashkirs. He could buy land at a low ⓐ price there. So he went off to see the land for himself. The ⓑ chief of the Bashkirs explained, "The land you can walk around in a day is yours. The price is one thousand rubles a day."

Early the next morning, Pahom started walking. After he walked straight for three miles, he turned left. But the land on his right looked even better. He kept going, trying to get more land. He was far from the starting point. Then he realized the sun was setting. He tried to run back. He ran as fast as he could.

Finally, Pahom reached the starting point just as the sun set, but fell dead. His servant dug a ⓒ grave and buried him. Six feet from his head to his ⓓ heels was all he needed.

Words land 명 땅 low 형 낮은 price 명 가격, 값 go off 떠나다 chief 명 우두머리, 대장 explain 동 설명하다 ruble 명 루블 (러시아의 화폐 단위) straight 부 똑바로 starting point 시작점 realize 동 깨닫다 set 동 (해가) 지다 reach 동 도달하다 servant 명 하인 dig 동 파다 heel 명 (발)뒤꿈치

LINK 실력 향상 WORKBOOK p.42

Purpose

1 본문의 내용과 가장 어울리는 속담은?

a. Every dog has its day.
b. Rome wasn't built in a day.
c. No pains, no gains.
d. Don't bite more than you can chew.

Details

2 Pahom에 관한 설명 중 본문의 내용과 일치하지 않는 것은?

a. 바시키르 족의 땅에서 농사를 지었다.
b. 항상 더 많은 땅을 갖길 원했다.
c. 해가 지기 전에 출발점으로 되돌아왔다.
d. 출발점으로 되돌아오고 나서 죽었다.

Words

3 다음 중 단어의 영영풀이가 옳지 않은 것은?

a. ⓐ price: money that is exchanged for a thing
b. ⓑ chief: the head of a group
c. ⓒ grave: a place for selling things
d. ⓓ heel: the rounded back part of a foot

Graphic Organizer

4 본문의 단어를 이용하여 이야기의 줄거리를 완성하시오.

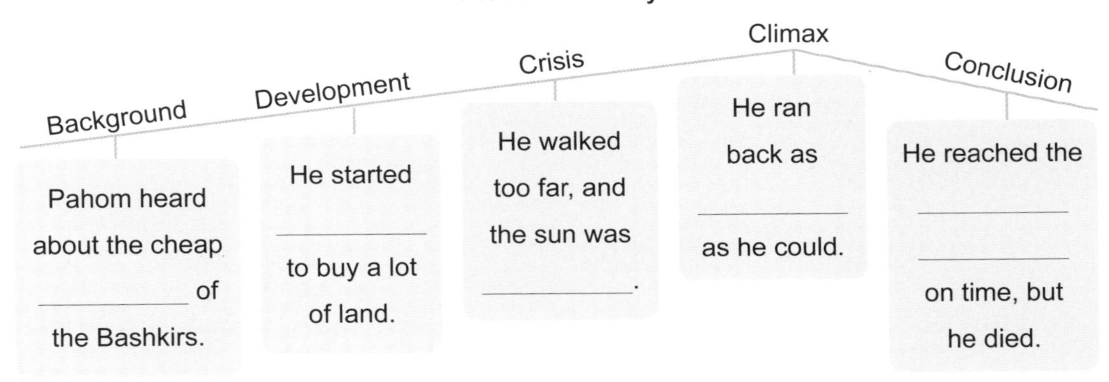
Plot of the Story
Background
Pahom heard about the cheap ____________ of the Bashkirs.
Development
He started ____________ to buy a lot of land.
Crisis
He walked too far, and the sun was ____________.
Climax
He ran back as ____________ as he could.
Conclusion
He reached the ____________ ____________ on time, but he died.

지식 백과

레프 톨스토이(Leo Tolstoy: 1828~1910)

톨스토이는 러시아를 대표하는 소설가이자 시인, 개혁가, 사상가이다. 그는 사실주의 문학의 대가였다. 「사람에게는 얼마나 많은 땅이 필요할까?」는 1886년 그의 나이 58세에 쓴 단편 소설이다. 이 작품은 인간의 욕심이 어디까지인지를 진솔하게 보여 주고 있다. 그 외 톨스토이의 대표작으로는 장편 소설 「전쟁과 평화」, 「안나 카레니나」 등이 있다.

Reading 02

Math for Life

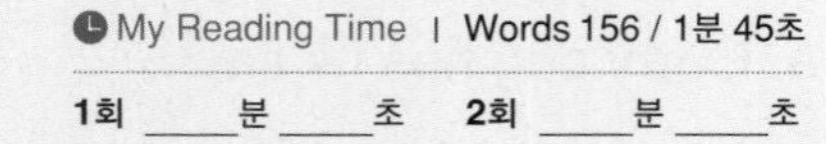

My Reading Time | Words 156 / 1분 45초

1회 ____분 ____초 2회 ____분 ____초

Pahom tried his best to get more land. But he didn't know one important mathematical fact. This is why he died.

Imagine that you can walk 60 kilometers in a day. Also, imagine that you can walk to make a right triangle, a square, or a circle. Which shape do you have to make in order to get the largest amount of land? (Assume that pi is 3.)

1/2×20×15=150　　15×15=225　　$3 \times 10^2 = 300$

As you can see from above, all three shapes have the same perimeter or *circumference—60 kilometers. In other words, if you walk along the edge of each shape, you will have to walk a total of 60 kilometers. But the areas are different. The circle has the largest area, while the triangle has the smallest area.

If you walk 60 kilometers in a ________, you can get the largest amount of land. Many people don't realize that math is useful in daily life. Sadly, Pahom was no exception.

*circumference 원주, (구의) 둘레

Words

mathematical 형 수학의　fact 명 사실　imagine 동 상상하다　right triangle 직각 삼각형　amount 명 양　assume 동 가정하다　above 부 위에　perimeter 명 둘레　edge 명 가장자리, 모서리　total 명 합계　area 명 면적　useful 형 유용한　daily life 일상생활　sadly 부 슬프게도　exception 명 예외

Study Date: ____ / ____

LINK 실력 향상 WORKBOOK p.44

Main Idea

1 본문의 요지로 가장 알맞은 것은?

a. 수학은 누구에게나 어려운 과목이다.
b. 수학은 일상생활에 유용할 수 있다.
c. 땅의 모양이 농부들에게 중요하다.
d. 도형의 면적은 쉽게 계산할 수 있다.

Details

2 문장을 읽고 본문의 내용과 일치하면 T, 일치하지 않으면 F를 쓰시오.

(1) ______ Pahom died because he walked in a circle.
(2) ______ Two shapes with the same perimeter have the same area.
(3) ______ The area of a square with a perimeter of 60 is 225.

Inference

3 빈칸에 들어갈 말로 가장 알맞은 것은?

a. circle b. square c. triangle d. shape

Summary

4 Complete the summary with the words in the box.

circle	shape	triangle	largest	mathematical

If the perimeter or circumference of a ________ is the same, a circle has the ________ area, while the ________ has the smallest area. Pahom didn't know this ________ truth, so he didn't walk in a ________. For this reason, he lost his life.

지식 백과

단위의 통일, 미터법

미터법은 길이의 단위를 미터(m)로 하고, 질량의 단위를 킬로그램(kg)으로 하며 십진법을 사용하는 도량형법이다. 1790년경 프랑스 정치가 탈레랑의 제안에 의해 파리 과학 아카데미가 만들었다. 처음 미터법의 보급은 순조롭지 않았으나, 그 우수함을 인정받아 1875년 국제적인 미터 협약이 체결되었다. 현재는 미국, 미얀마, 라이베리아를 제외한 전 세계가 공식 단위계로 채택하여 사용하고 있다.

▶ 일상생활에서 사용하는 '단위는 어떻게 만들어졌을까?' 확인해 보세요! Time 5' 37''

Reading Closer

독해의 내공을 키우는 **마무리 학습**

A **Unit 11에서 학습한 단어를 생각해 보고, 다음 퍼즐을 완성해 보시오.**

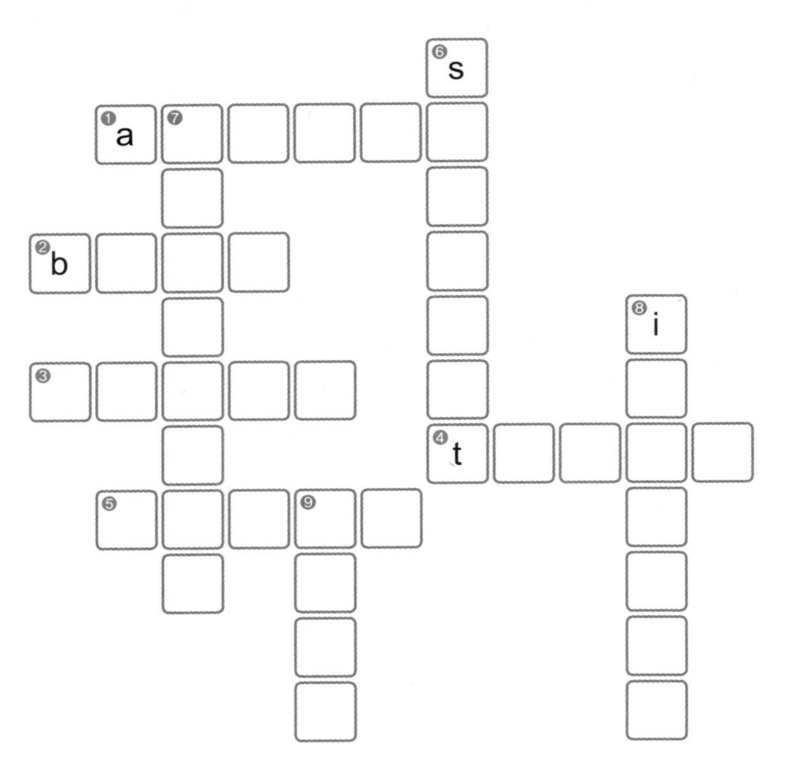

Across

❶ 사실이라고 가정하다: ___________ it is true

❷ to hide something in the ground

❸ He could buy land at a low ___________ there.
(그는 거기에서 낮은 가격으로 땅을 살 수 있었다.)

❹ 합계

❺ the head of a group

Down

❻ a person who serves others

❼ not curved or bent

❽ 그 장면을 상상하다: ___________ the scene

❾ 가장자리

B 다음 [보기]에서 알맞은 말을 골라 문장을 완성하시오.

보기 | assume | edge | exception | chief | explain

1 They built a school on the ________ of the village.

2 A new ________ of the team will arrive tomorrow.

3 Can you ________ the concept once again?

4 I have not heard from him, so I ________ he is not coming.

5 You must come to the meeting every Monday without ________.

생각을 키우는 서술형 • 수행평가 대비 훈련

C 다음 [보기]에서 알맞은 말을 골라 글을 완성하시오.

Someone says, "The land you can walk around in a day is yours for the ________ of 10,000 won." You can walk to get land that looks like a particular ________— a triangle, a square, or a circle. Which will you choose to get the largest ________ of land? To answer the question, you should use your ________ skills. The circle will have the largest area if the ________ is the same.

보기 | perimeter | math | amount | shape | price

UNIT 12 Can You Hear Me?

생각의 폭을 넓히는 배경지식 Story

#Topic Earphones & Hearing

1877년 12월, 토머스 에디슨의 3대 발명품 중 하나인 축음기가 발명되었어요. 이때 우리는 역사상 최초로 sound를 재생할 수 있게 되었죠. 에디슨이 축음기를 통해 자신이 직접 부른 노래를 청중에게 들려주었을 때, 사람들은 그가 장난을 치는 것이라고 생각할 정도로 당시에는 이것이 놀라운 일이었어요. 초기 축음기는 통 모양의 기계에 바늘이 붙은 stick이 움직이도록 설계되었어요. 우리가 기계에 대고 이야기를 하면, sound wave에 따라서 바늘이 vibrate하여 통 위에 흔적을 남기게 되고, 다시 그 흔적을 따라서 소리가 재생되는 것이 초기 축음기의 원리예요.

이후 기술은 발전을 거듭해서 마이크나 스피커 같은 장비도 따라서 발명되었어요. 오늘날 우리가 사용하는 이어폰도 이때의 기술을 바탕으로 탄생한 것이에요. 처음에는 주로 군대에서 아주 약한 라디오의 signal을 pay attention to하여 듣기 위해 이어폰을 사용했지만 점차 일상생활에서도 사용하기 시작했죠.

우리가 오늘날 tiny한 기계를 손에 들고 street에서 음악을 듣는 일은 모두 이런 발명들이 모여서 가능해진 거예요. 하지만 길에서 이어폰을 끼고 너무 loudly하게 음악을 듣는 것은 dangerous할 수 있으니 주의해야 해요!

본문 미리보기 QUIZ

1 이어폰은 그 자체만으로 귀에 좋지 [□ 않다. / □ 않은 것은 아니다.] 98쪽에서 확인

2 귀의 주요 부분 중 [□ 내이 / □ 외이] 는 음파를 공기 중에서 모은다. 100쪽에서 확인

독해의 장벽을 깨는 만만한 Vocabulary

Study Date: ______ / ______

	Word	Meaning	예시	Phrase
□ 1	**collect** [kəlékt]	동 모으다	증거를 모으다	________ evidence
□ 2	**dangerous** [déindʒərəs]	형 위험한	위험한 장소	a ________ place
□ 3	**hit** [hit]	동 치다	차에 치이다	be ________ by a car
□ 4	**loudly** [láudli]	부 큰 소리로	큰 소리로 읽다	read ________
□ 5	**middle** [mídl]	형 중간의	중년	________ age
□ 6	**noise** [nɔiz]	명 소리, 소음	소음을 내다	make a ________
□ 7	**outer** [áutər]	형 외부의	외계	________ space
□ 8	**pay attention to**	…에 주의를 기울이다	음악에 집중하다	________ the music
□ 9	**signal** [sígnəl]	명 신호	위험 신호	a warning ________
□ 10	**sound** [saund]	명 소리	음파	________ waves
□ 11	**stick** [stik]	명 막대기	드럼 채	a drum ________
□ 12	**street** [striːt]	명 거리	길을 건너다	cross the ________
□ 13	**tiny** [táini]	형 아주 작은	아주 작은 아기	a ________ baby
□ 14	**toward** [təwɔ́ːrd]	전 …을 향하여	차를 향하여 걷다	walk ________ the car
□ 15	**vibrate** [váibreit]	동 진동하다	목소리가 떨리다	the voice ________s

어휘 자신만만 QUIZ

1 이어폰은 높은 음량으로 음악을 틀어 놓으면 위험할 수 있다.

Earphones can be ________________ when playing music at high volumes.

2 외이는 공기 중의 음파를 모은다.

The outer ear ________________ sound waves from the air.

Reading 01

Using Earphones

My Reading Time | Words 134 / 1분 30초

1회 ____분 ____초 2회 ____분 ____초

Today, lots of young people use earphones. They do so on the street, on the subway, and on the bus. They even fall asleep with their earphones on. They can't live without their earphones.

Earphones are not bad in themselves. However, they can be dangerous when playing music at high volumes. Some teens play music too loudly because they don't want to hear other noises. They might listen to loud music for hours every day. <u>This</u> can hurt their ears, and they may soon have a problem with their hearing.

Earphones can be dangerous in another way, too. ______________ is especially bad. When teens are focusing on their favorite music, they don't pay attention to anything else. They forget that the street is full of cars, bikes, motorbikes, and people.

Words

street 명 거리 subway 명 지하철 fall asleep 잠들다 without 전 …없이 dangerous 형 위험한 volume 명 음량 loudly 부 큰 소리로 noise 명 소음 hurt 동 다치게 하다 hearing 명 청력 especially 부 특히 focus on …에 집중하다 pay attention to …에 주의를 기울이다 else 부 또 다른 be full of …으로 가득 찬

LINK 실력 향상 WORKBOOK p.46

Main idea

1 본문의 요지로 가장 알맞은 것은?

a. 젊은이들은 음악 듣기를 좋아한다.
b. 이어폰을 사용하는 것은 위험할 수 있다.
c. 십 대는 시끄러운 음악을 듣지 말아야 한다.
d. 야외에서 음악을 들을 때 이어폰은 유용하다.

Reference

2 밑줄 친 This가 가리키는 바로 가장 알맞은 것은?

a. Hearing a lot of noises
b. Using earphones on the subway
c. Having a problem with earphones
d. Listening to loud music for hours every day

Inference

3 빈칸에 들어갈 말로 가장 알맞은 것은?

a. Focusing on favorite music
b. Listening to music while studying
c. Using earphones on the street
d. Listening to loud music at home

Summary

4 Complete the summary with the words in the box.

hurt	street	loudly	earphones

Teens should be careful about using __________. First, they should not play music too __________. Listening to loud music for a long time can __________ their ears. Also, they should remember that using earphones on the __________ can cause accidents.

지식 백과

소리 크기의 수준

소리의 크기는 주로 데시벨(decibel)로 나타낸다. 조용한 침실에서는 20데시벨, 속삭이는 말은 40데시벨, 일상 대화는 60데시벨, 가까이에서 지나가는 트럭은 80데시벨, 300미터 높이로 날아가는 비행기는 100데시벨, 록음악 연주회장은 120데시벨 정도이다. 80데시벨 이상의 소리에 장시간 노출되면 청력이 손상되기 시작한다. 이어폰의 볼륨을 높이면 소리 크기는 100데시벨을 쉽게 넘어간다.

Reading 02

Ears for Hearing

My Reading Time | Words 133 / 1분 30초

1회 ____분____초 2회 ____분____초

There are three main parts to the ear: the outer ear, the middle ear, and the inner ear. Sound waves cannot be seen, but they travel through the air. The outer ear collects these waves from the air. They go into the ear canal and then move on toward the eardrum. The sound waves hit the eardrum just like a stick hitting a real drum.

The vibrations from the eardrum travel into the middle ear. When the sound waves reach the tiny bones in the middle ear, they also begin to vibrate. This helps the sound waves reach the inner ear. The inner ear has fluid and thousands of little hairs. The vibrations make the little hairs move. This changes the vibrations into a signal. This signal is then sent to the brain.

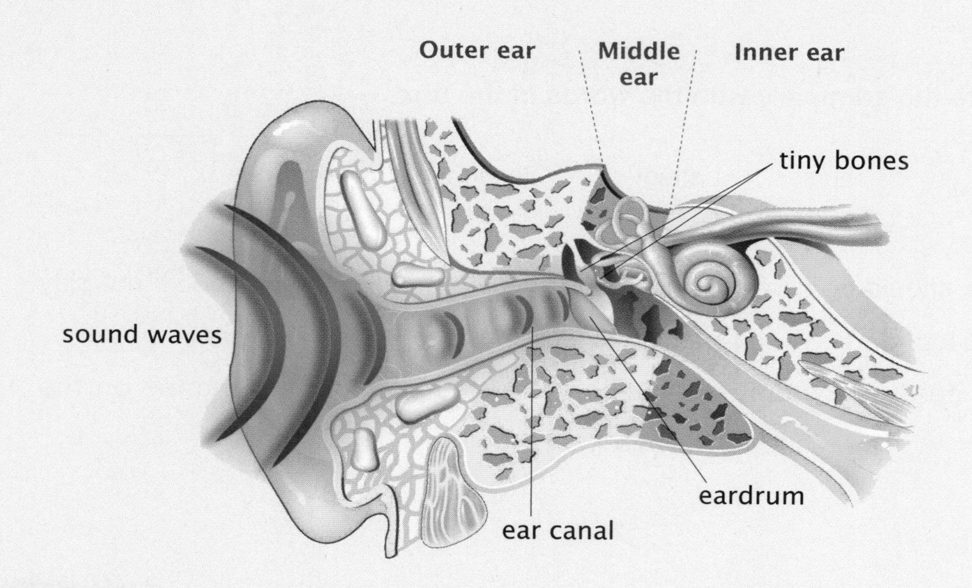

Words

outer 형 외부의 middle 형 중간의 inner 형 내부의 sound wave 음파 collect 동 모으다 go into …에 들어가다 canal 명 관 toward 전 …을 향하여 eardrum 명 고막 hit 동 치다 vibrate 동 진동하다 tiny 형 아주 작은 bone 명 뼈 fluid 명 액체 hair 명 털 signal 명 신호 brain 명 뇌

LINK 실력 향상 WORKBOOK p.48

1 Topic

본문의 주제로 가장 알맞은 것은?

a. 청각의 작동 원리
b. 청력 개선을 위한 충고
c. 귀가 음파를 모으는 방법
d. 귀의 가장 중요한 부분

2 Details

다음 빈칸에 들어갈 말로 가장 알맞은 것은?

The function of the outer ear is ____________________.

a. vibrating the eardrum
b. changing vibrations into a signal
c. collecting sound waves from the air
d. delivering sound waves to little bones

3 Inference

빈칸에 알맞은 말을 넣어 대답을 완성하시오.

Q: Where do sound waves become a signal?
A: They become a signal in the __________ __________.

4 Graphic Organizer

본문의 단어를 이용하여 귀의 주요 부분에 대한 표를 완성하시오.

Outer ear	Middle ear	Inner ear
• The outer ear __________ sound waves. • The sound waves __________ the eardrum.	• Sound waves reach the tiny __________. • The bones begin to __________.	• Movement of little hairs changes the vibrations into a __________.

지식 백과

가청 주파수

소리의 주파수(frequency)는 소리가 1초에 몇 번의 주기로 공기를 진동시키는가를 나타내는 말로 헤르츠(Hz) 단위로 표시한다. 인간이 들을 수 있는 주파수는 20~20,000Hz로 이를 가청 주파수라고 한다. 귀의 구조가 발달되어 있는 동물들은 인간보다 가청 주파수 범위가 훨씬 넓어 우수한 청력을 보인다. 가령, 개는 67~145,000Hz의 소리를 들을 수 있다.

소리가 귀에 전달되는 과정을 동영상으로 생생하게 확인해 보세요! Time 3' 37"

Reading Closer

독해의 내공을 키우는 **마무리 학습**

A

Unit 12에서 학습한 단어를 생각해 보고, 다음 퍼즐을 완성해 보시오.

Across

❶ very little

❷ a road in a town or city

❸ 진동하기 시작하다: begin to ________

❹ a similar word of "liquid"

❺ the amount of sound

Down

❻ 또 다른

❼ 특히 좋지 않다: ________ bad

❽ 내이: the ________ ear

❾ We cannot live ________ water.
(우리는 물 없이는 살 수 없다.)

❿ 도달하다

B 다음 [보기]에서 알맞은 말을 골라 문장을 완성하시오.

보기 fluid brain wave stick reach

1 If you heat ice, it will gradually turn into a __________.

2 The drummer was holding a __________ painted in red and blue.

3 A large __________ swept away the sand castle the kids had made.

4 Follow the path for 10 minutes, and you will __________ the top of the mountain.

5 An animal with a big __________ is usually more intelligent than an animal with a small one.

생각을 키우는 서술형 • 수행평가 대비 훈련

C 다음 [보기]에서 알맞은 말을 골라 글을 완성하시오.

Earphones send sounds directly into your ear __________. When you play music too loudly, they can be __________ to your ears. When sound waves reach your ear, they cause the eardrum to __________. This vibration is sent to the inner ear through three __________ bones. The little hairs in the inner ear sense the vibration and help send a __________ to the brain. Loud sounds can make these hairs less sensitive and cause a hearing problem.

보기 signal dangerous vibrate tiny canal

UNIT 13 Into Space

생각의 폭을 넓히는 **배경지식** Story

#Topic Our Solar System

우리 지구가 속해 있는 solar system은 태양을 중심으로 하는 8개의 planet으로 이루어져 있죠. 하지만 태양계는 종종 새로운 가족이 추가되거나 기존의 구성원이 제외되기도 해서 꼭 그 위치가 forever하게 last하지 않아요. 이 중 최근에 행성의 지위를 잃은 것이 바로 명왕성이에요. 과연 어떤 일이 happen한 걸까요?

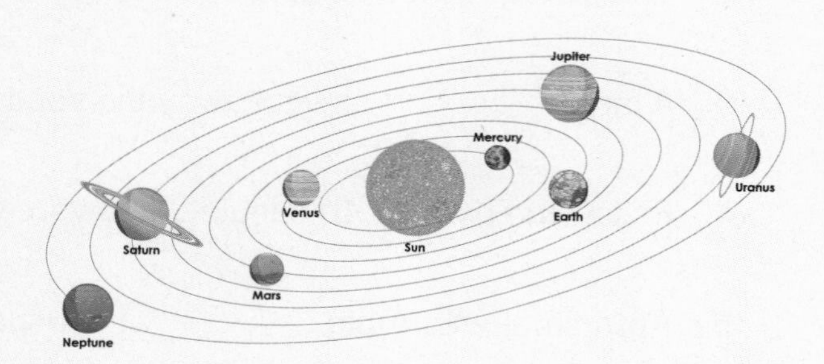

천문학자들은 천왕성과 해왕성을 관측하다가, 이들의 궤도가 계산과 맞지 않는다는 사실을 알게 되었어요. 그래서 이들은 또 다른 행성이 close하게 있어서 궤도에 영향을 주는 것이 아닐까 guess했죠. 많은 사람들이 아홉 번째 행성을 찾기 위해 애썼고 마침내 미국의 천문학자인 클라이드 톰보가 1930년에 명왕성을 발견하게 되었어요. 하지만 태양계의 끝자락에 있는 명왕성은 태양에서 매우 far away하므로 sunlight가 도달하기 힘든 천체예요. 명왕성의 크기는 달의 2/3 정도로 작을 뿐만 아니라 궤도도 보통의 행성과는 다르다는 사실이 최근 알려졌어요. 그래서 학자들은 2006년 8월, 명왕성은 행성이 아니라고 발표했죠.

여전히 많은 과학자가 태양계의 아홉 번째 행성을 찾기 위해 노력하고 있어요. 여러분도 밤하늘 어딘가에 있을 아홉 번째 행성을 함께 찾아보는 것은 어떨까요?

본문 미리보기 QUIZ

1 [☐ 수성(Mercury) / ☐ 해왕성(Neptune)]은 태양에 너무 가까워서 매우 뜨겁다. 106쪽에서 확인

2 달의 큰 구멍들은 [☐ 태양열에 / ☐ 운석에] 의해서 만들어졌다. 108쪽에서 확인

독해의 장벽을 깨는 만만한 Vocabulary

Study Date: ______ / ______

□ 1	**burn** [bəːrn]	동 타다, 태우다	쓰레기를 태우다	______ the garbage
□ 2	**close** [klouz]	형 가까운	친한 친구	a ______ friend
□ 3	**far away from**	…에서 멀리 떨어진	여기에서 멀리 떨어진	______ here
□ 4	**footprint** [fútprint]	명 발자국	모래 위의 발자국	______ in the sand
□ 5	**forever** [fərévər]	부 영원히	영원히 사랑하다	love ______
□ 6	**guess** [ges]	동 추측하다	답을 추측하다	______ the answer
□ 7	**happen** [hǽpən]	동 발생하다	다시 발생하다	______ again
□ 8	**land** [lænd]	동 착륙하다	바다에 착륙하다	______ at sea
□ 9	**last** [lɑːst]	동 지속되다	한 시간 지속되다	______ an hour
□ 10	**planet** [plǽnit]	명 행성	외계 행성	an alien ______
□ 11	**poisonous** [pɔ́izənəs]	형 독이 있는	독이 있는 식물	______ plants
□ 12	**reflect** [riflékt]	동 반사하다	거울에 비치다	______ in the mirror
□ 13	**star** [stɑːr]	명 항성, 별	유성	a shooting ______
□ 14	**sunlight** [sʌ́nlàit]	명 햇빛	따사로운 햇살	warm ______
□ 15	**weigh** [wei]	동 무게가 …이다	무게가 50킬로이다	______ 50 kilos

어휘 자신만만 QUIZ

1 행성은 빛을 방출하지 않지만, 항성으로부터 빛을 반사한다.

A planet doesn't give off light, but it ______ light from a star.

2 우리는 달에서 최초의 발자국들을 보았다.

We saw the first ______ on the Moon.

Reading 01

Our Solar System

My Reading Time | Words 157 / 1분 45초

1회 ____분____초 2회 ____분____초

A star is a big body of hot, burning gas. It gives off light. A planet, on the other hand, is a body of mass that goes around a star. A planet doesn't give off light, but it reflects light from a star.

How are the Sun and the Earth related? The Sun is a star, and the Earth is a planet. The Sun has eight planets: Mercury, Venus, Earth, Mars, Jupiter, Saturn, Uranus, and Neptune. Mercury is the closest to the Sun. It is very hot, and nothing can live on it. On the other hand, it is very cold on Neptune because it is so far away from the Sun.

We are lucky to be on the Earth. We are neither too close to the Sun nor too far from it. The Sun gives us light, and it gives us life, too. Without sunlight, no plant can grow. Without plants, no animal can live, either.

Words

solar system 태양계 star 명 항성, 별 burn 동 타다, 태우다 give off 방출하다 planet 명 행성 mass 명 덩어리 go around 돌다 reflect 동 반사하다 relate 동 연관시키다 Mercury 명 수성 Neptune 명 해왕성 lucky 형 운이 좋은 close 형 가까운 far away from …에서 멀리 떨어진 sunlight 명 햇빛

LINK 실력 향상 WORKBOOK p.50

Topic

1 각 단락과 제목을 연결하시오.

(1) Paragraph 1 •
(2) Paragraph 2 •
(3) Paragraph 3 •

• a. A Star vs. A Planet
• b. Lucky Planet: The Earth
• c. The Sun and Its Planets

Inference

2 다음 행성들의 온도가 낮은 순서대로 숫자를 쓰시오.

☐ Earth ☐ Neptune ☐ Mercury

Details

3 문장을 읽고 본문의 내용과 일치하면 T, 일치하지 않으면 F를 쓰시오.

(1) ______ A planet cannot give off light.
(2) ______ Neptune is the closest planet to the Sun.
(3) ______ Animals cannot live without sunlight.

Summary

4 Complete the summary with the words in the box.

the Earth	close	reflects	gives off

The Sun is a star. It ______ light. The Earth is a planet. It goes around the Sun. It ______ light from the Sun. If a planet is ______ to the Sun, it is hot. If a planet is far from the Sun, it is cold. ______ is neither too close nor too far from the Sun. So, plants and animals can live on the Earth.

지식백과

행성 이름의 유래

태양계에서 지구를 제외한 모든 행성의 이름은 그리스·로마 신화에서 유래되었다. 하늘에서 가장 아름답게 보이는 금성은 사랑과 미의 여신 Venus를 따라 이름을 지었고, 붉은색 행성 화성은 로마 신화의 전쟁신 Mars의 이름에서 유래되었다. 망원경(telescope) 발명 이후에 발견된 해왕성도 그리스·로마 신화의 바다의 신 Neptune에서 따온 것인데, 이 행성이 파랗게 보이기 때문이다.

아름다운 우리의 태양계에 관해 동영상으로 조금 더 확인해 보세요! Time 4' 21"

Reading 02 A Letter from the Moon

My Reading Time | Words 159 / 1분 45초

1회 ____분 ____초 2회 ____분 ____초

Dear Mom,

We landed safely on the Moon. It took only five hours to get here by spaceship. The planet Earth looks so beautiful from up here.

Guess what? We saw the first footprints on the Moon. Neil Armstrong, the first man on the Moon, left them in 1969. We left our footprints, too. They will last forever because there is no wind or rain to destroy them. I guess a meteor might fall on them, though. That is how the Moon's big holes were made. I hope a meteor doesn't land on us!

Tomorrow we are going to visit Venus. I am afraid it will be a little dangerous. It is hot on Venus because it is so close to the Sun. Also, the planet is covered with thick, poisonous clouds.

I hope nothing bad happens to us. I will write again soon.

Love,

Sora

P. S. On Earth I weigh 36 kilograms. Here I weigh only 6 kilograms.

Words

land 동 착륙하다 safely 부 안전하게 spaceship 명 우주선 guess 동 추측하다 footprint 명 발자국 last 동 지속되다 forever 부 영원히 destroy 동 파괴하다 meteor 명 운석, 별똥별 afraid 형 두려워하는 be covered with …으로 덮이다 thick 형 두꺼운 poisonous 형 독이 있는 happen 동 발생하다 weigh 동 무게가 …이다

LINK 실력 향상 WORKBOOK p.52

1
Title

본문의 다른 제목으로 가장 알맞은 것은?

a. The First Footprints on the Moon
b. A Postcard from a Space Traveler
c. An Amazing Space Trip to Venus
d. A Letter from the First Man on the Moon

2
Inference

필자의 Venus 여행 계획에 관한 느낌으로 가장 알맞은 것은?

a. excited
b. sad
c. worried
d. disappointed

3
Details

빈칸에 알맞은 단어를 본문에서 찾아 쓰시오.

There is no ________ or rain on the Moon. So, the footprints on the Moon will last forever if a ________ doesn't fall on them.

4
Graphic Organizer

본문의 단어를 이용하여 표를 완성하시오.

Today's Trip	Tomorrow's Trip
The Moon • No wind or rain • Big holes were made by ________.	________ • Very hot • It is covered with thick and ________ clouds.

지식 백과

태양에 매우 가까운 행성, 금성(Venus)

금성은 태양에서 두 번째로 가까운 거리에 있는 행성으로, 밤하늘에서는 달 다음으로 밝게 빛나 보인다. 금성의 지름은 지구의 지름보다 639킬로미터 적은 12,104킬로미터로 질량도 지구와 비슷하다. 하지만 표면의 평균 온도가 섭씨 462도이기 때문에 인간이 살 수 없는 곳이다. 소련이 발사한 비행체인 Venera 3호가 1966년에 처음으로 금성에 착륙하였다.

Reading Closer

독해의 내공을 키우는 마무리 학습

A

Unit 13에서 학습한 단어를 생각해 보고, 다음 퍼즐을 완성해 보시오.

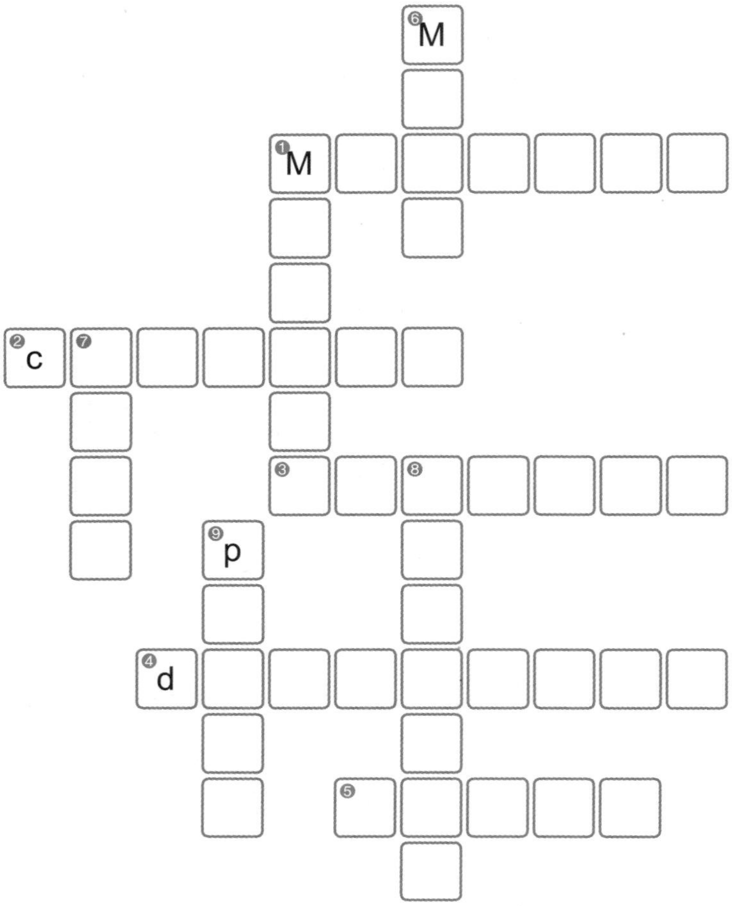

(crossword puzzle: ❶ M, ❷ c, ❹ d, ❻ M, ❾ p)

Across

❶ the planet that is the closest to the Sun

❷ a similar word of "nearest"

❸ 반사하다

❹ the opposite of "safe"

❺ 무게가 50킬로그램이다: __________ 50 kilograms

Down

❶ a piece of rock as it falls from outer space

❻ the planet that is fourth from the Sun

❼ 달에 착륙하다: __________ on the moon

❽ for all time in the future

❾ a flower or a tree

B 다음 [보기]에서 알맞은 말을 골라 문장을 완성하시오.

보기	poisonous	weigh	land	related	plant

1 You should water this __________ once a week.

2 Kids love to watch planes __________ and take off.

3 Some basketball players __________ over 100 kilograms.

4 Do not be afraid of the snake because it is not __________.

5 Do you know that English and German are closely __________ languages?

생각을 키우는 서술형 • 수행평가 대비 훈련

C 다음 네모 안에서 알맞은 말을 골라 글을 완성하시오.

We can travel to the Moon by [spaceship / planet]. On the Moon, we can see the footprints of Neil Armstrong, the first man on the Moon. They will [remember / last] forever because there is no wind or rain to [build / destroy] them. In the future, we may be able to visit places that are further away from Earth. For example, we may want to travel to Venus because it is the [closest / farthest] planet to Earth. However, it is too hot, and it can [burn / reflect] us badly.

생각의 폭을 넓히는 배경지식 Story

UNIT 14 Colors Talk

#Topic Colors & Lights

여러분은 오래된 사찰이나 궁궐의 처마 끝을 예쁘게 수놓은 단청을 보고 누가 이것을 꾸몄는지 wonder한 적이 있을 거예요. 마치 rainbow처럼 알록달록한 단청의 색은 우리 조상들이 예로부터 자주 사용해 온 색이랍니다.

우리나라에서는 전통적으로 5가지 color를 중요하게 여겼는데, 이것을 오방색이라고 불러요. 각각의 색은 direction을 나타내서 황색은 가운데, 청색은 동쪽, 흰색은 서쪽, 적색은 남쪽, 흑색은 북쪽을 상징해요. 우리 조상들은 이 5가지 색들을 특별한 occasion을 기념하기 위해서 사용했어요. 예를 들어, 아이가 태어나면 celebrate하고 많은 복을 받기 바라는 마음에 carefully하게 만든 색동옷을 입혔어요. 또한 적색이 액운을 쫓고 가족들을 보호한다고 생각해서 붉은 팥으로 떡을 만들고 집안에 팥을 scatter하기도 했죠. 우리의 favorite한 음식인 비빔밥을 보면 서로 색이 다른 재료들이 풍미를 더하죠. 우리 조상들은 이렇게 생활 곳곳에 색을 조화롭게 활용했답니다.

이어지는 글에서 문화마다 다른 색의 의미와 어떻게 해서 우리가 아름다운 색을 볼 수 있는지 한번 알아볼까요?

본문 미리보기 QUIZ

1 빨간색은 [□ 남아프리카 공화국 / □ 중국] 에서 행운을 의미한다. 114쪽에서 확인

2 빛의 [□ 파란 / □ 빨간] 부분은 짧고 작은 파동으로 움직인다. 116쪽에서 확인

독해의 장벽을 깨는 만만한 Vocabulary

Study Date: ______ / ______

☐ 1	**busy** [bízi]	형 분주한, 바쁜	바쁘게 지내다	live a ______ life
☐ 2	**carefully** [kɛ́ərfəli]	부 주의 깊게	주의 깊게 듣다	listen ______
☐ 3	**celebrate** [séləbrèit]	동 축하하다	생일을 축하하다	______ a birthday
☐ 4	**courage** [kə́:ridʒ]	명 용기	용기의 부족	lack of ______
☐ 5	**die** [dai]	동 죽다	1892년에 죽다	______ in 1892
☐ 6	**direction** [dirékʃən]	명 방향	반대 방향	the opposite ______
☐ 7	**favorite** [féivərit]	형 매우 좋아하는	매우 좋아하는 음식	______ food
☐ 8	**occasion** [əkéiʒən]	명 (특별한) 행사, 때	특별한 행사	a special ______
☐ 9	**particle** [pá:rtikl]	명 (아주 작은) 입자	먼지 입자들	______s of dust
☐ 10	**pass through**	통과하다	숲속을 지나다	______ a forest
☐ 11	**rainbow** [réinbòu]	명 무지개	무지개의 색깔	colors of the ______
☐ 12	**sadness** [sǽdnis]	명 슬픔	깊은 슬픔	deep ______
☐ 13	**scatter** [skǽtər]	동 산란시키다, (흩)뿌리다	씨를 뿌리다	______ seeds
☐ 14	**travel** [trǽvəl]	동 이동하다	빠르게 이동하다	______ quickly
☐ 15	**wonder** [wʌ́ndər]	동 궁금해하다	별들에 대해 궁금해하다	______ about stars

어휘 자신만만 QUIZ

1 그것은 사람들이 특별한 행사를 축하할 때 종종 사용된다.

It often used when people ______________ special occasion.

2 공기 중의 기체와 입자들이 빛을 산란시킨다.

The gases and particles in the air ______________ light.

Reading 01

Colors Have Different Meanings

My Reading Time | Words 130 / 1분 30초

1회 ____분____초 2회 ____분____초

Colors have different meanings in different cultures. So before you use color, think carefully. Your favorite color may be one that people from another culture don't like.

Let's take the color red, for example. In China, it means good luck. So it is often used when people celebrate special occasions. In South Africa, however, red is the color of sadness. South Africans use the color red when a family member dies.

Yellow is another color that shows cultural differences. In Japan, __________, yellow means courage. Ancient warriors in Japan put a yellow flower on their chest as a sign of courage. In some Western countries, however, yellow means a lack of courage. If you say someone is yellow, you mean he or she is too scared to do something.

Words

meaning 명 의미 culture 명 문화 carefully 부 주의 깊게 favorite 형 아주 좋아하는 for example 예를 들어 celebrate 동 축하하다 occasion 명 (특별한) 행사, 때 sadness 명 슬픔 die 동 죽다 show 동 보여 주다 difference 명 차이 courage 명 용기 warrior 명 전사 chest 명 가슴 scared 형 겁먹은

LINK 실력 향상 WORKBOOK p.54

1
Topic

본문의 주제로 가장 알맞은 것은?

a. lucky colors
b. yellow in different cultures
c. meanings of colors in different cultures
d. colors used to celebrate special occasions

2
Inference

다음 중 본문의 내용과 일치하지 않는 것은?

a. 문화마다 선호하는 색은 다를 수 있다.
b. 남아프리카 공화국에서 빨간색은 슬픔을 나타낸다.
c. 승리를 축하하려고 일본인들은 노란 꽃을 달았다.
d. 일부 서양 국가에서 노란색은 부정적 의미를 나타낸다.

3
Linking

빈칸에 들어갈 말로 가장 알맞은 것은?

a. for example
b. however
c. in other words
d. therefore

4
Graphic Organizer

본문의 단어를 이용하여 색깔에 관한 표를 완성하시오.

The Different Meanings of Colors

Example 1 Red	In China, it means __________ __________.	vs.	In __________ __________, it means sadness.
Example 2 Yellow	In Japan, it means __________.	vs.	In some Western countries, it means a __________ of courage.

지식 백과

왕의 색

왕은 강력한 왕권을 다양한 방식으로 나타내는데 그중에, 색(色)을 자주 이용했다. 색은 말보다 더 직접적으로 의미를 표현할 수 있기 때문이다. 동서양의 왕들이 가장 즐겨 사용한 색은 힘찬 생명력과 기쁨을 상징하는 빨강이었다. 루이 16세, 나폴레옹 등 강력한 왕권을 가졌던 왕들이 붉은 옷을 입은 모습은 박물관에 전시된 초상화에서 쉽게 볼 수 있다. 조선 시대에도 태조와 고종을 제외하면 모든 왕들이 붉은 곤룡포를 입고 있다.

고종 황제가 입었던 곤룡포를 동영상으로 확인해 보세요! Time 5' 05"

Reading 02 Look Up at the Sky

My Reading Time | Words 153 / 1분 45초

1회 ____분____초 2회 ____분____초

The sky is blue. Have you ever wondered why? The light from the Sun looks white. But all the colors of the rainbow are hidden in the light. We cannot see all these colors with the naked eye. When light passes through a prism, however, we can see all the beautiful colors.

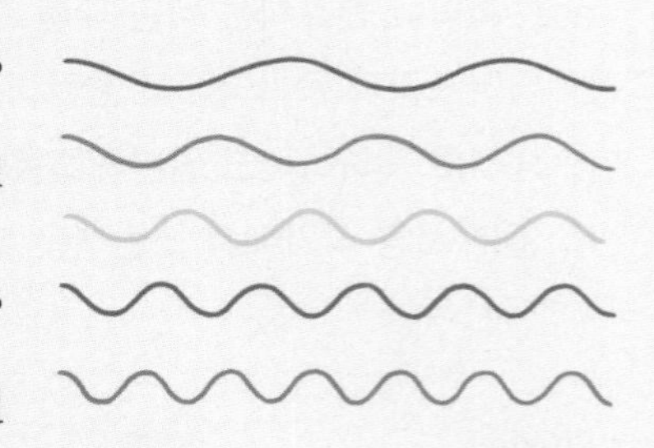

5 Two things explain why the sky is blue. First, light travels in waves. The blue part travels in short, busy waves. Other parts, like the red, travel in long, lazy waves. Second, the gases and particles in the air scatter light. When the light from the Sun comes near 10 the Earth, it is scattered in all directions. The blue part is scattered more than the other colors because ______________. Therefore, the blue part remains more in the sky while the others reach the Earth. This is why we can see the color blue in the sky.

Words

wonder 동 궁금해하다 rainbow 명 무지개 naked eye 맨눈 pass through 통과하다 prism 명 프리즘, 분광기 beautiful 형 아름다운 travel 동 이동하다 wave 명 파동 busy 형 분주한, 바쁜 lazy 형 느린, 게으른 gas 명 기체 particle 명 (아주 작은) 입자 scatter 동 산란시키다, (흩)뿌리다 direction 명 방향 remain 동 남다

Study Date: ______ / ______

LINK 실력 향상 WORKBOOK p.56

Title
1 본문의 다른 제목으로 가장 알맞은 것은?

a. Why Is the Sky Blue?
b. How Does Light Travel?
c. How Is a Rainbow Made?
d. When Does the Color of the Sky Change?

Details
2 문장을 읽고 본문의 내용과 일치하면 T, 일치하지 않으면 F를 쓰시오.

(1) ______ The light from the Sun is always white.
(2) ______ With the help of a prism, we can see the colors of the rainbow.
(3) ______ The red part of light travels in short and busy waves.

Inference
3 빈칸에 들어갈 말로 가장 알맞은 것은?

a. it travels in long, taller waves
b. it travels in shorter, smaller waves
c. it contains more gases and particles
d. it is outside the colors of the rainbow

Summary
4 Complete the summary with the words in the box.

blue	waves	particles	shorter	hits

Light travels in ________. The blue part travels in short, busy waves. The light from the Sun is scattered when it ________ the gases and ________ in the air. The blue part is scattered more because its waves are ________ and smaller than the other parts. That is why the sky looks ________.

지식 백과

프리즘의 원리

프리즘(prism)은 빛을 굴절·분산시키는 광학 도구이다. 일반적으로 프리즘은 단면의 모양이 정삼각형이고 표면은 평탄하며 유리와 같은 투명한 재질로 이루어져 있다. 빛은 공기와 유리 같은 서로 다른 매질을 통과할 때 두 매질의 경계면에서 굴절한다. 여러 파장을 가진 빛이 골고루 섞인 백색광이 프리즘을 통과할 때, 가시광선은 각각의 파장에 따라 서로 다른 각도로 굴절하며 두 번의 굴절을 통해 분산된다. 분산된 가시광선은 파장에 따라 빨강에서 보라에 이르는 색을 띠게 된다.

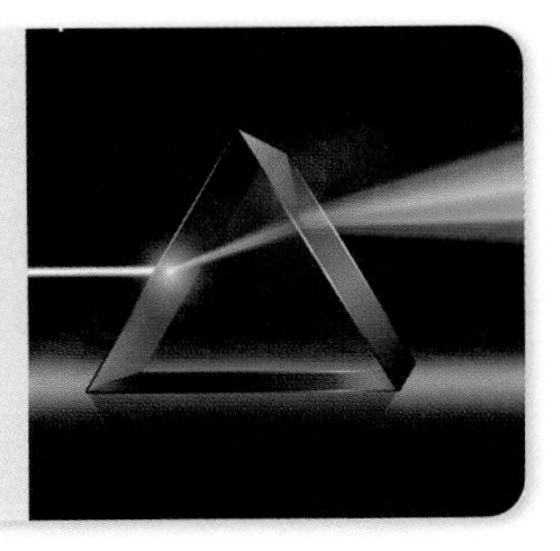

Reading Closer

독해의 내공을 키우는 마무리 학습

A Unit 14에서 학습한 단어를 생각해 보고, 다음 퍼즐을 완성해 보시오.

Across

❶ a person who fights in wars

❷ 특별한 행사, 때: a special ________

❸ to stop living

❹ nervous and frightened

❺ 생일을 축하하다: ________ a birthday

Down

❻ a very small piece of something

❼ 남다, 여전히 …인 채로 있다

❽ want to know something

❾ 빛을 산란시키다: ________ lights

❿ actively doing something

B 다음 [보기]에서 알맞은 말을 골라 문장을 완성하시오.

보기	difference	courage	explain	scatter	celebrate

1 The baker will __________ nuts on top of the cake.

2 The boy did not have the __________ to talk to the girl.

3 Price is the main __________ between the two products.

4 People around the world __________ their birthdays differently.

5 I did not understand, so I asked the teacher to __________ again.

생각을 키우는 서술형 • 수행평가 대비 훈련

C 다음 네모 안에서 알맞은 말을 골라 글을 완성하시오.

Colors have [different / similar] meanings in different cultures. For example, red stands for good [time / luck] in China, while it means [sadness / happiness] in South Africa. Interestingly, people seem to like some colors very much. [Blue / Red] is people's favorite color around the world. Everyone sees the blue sky because of the way [light / color] travels in the air. Also, it is a universal sign of hope, peace, and cleanliness.

생각의 폭을 넓히는 배경지식 Story

#Topic Fondue & Cheese

버터와 치즈, 요구르트 음료 등 우유를 발효시킨 음식들의 기원은 아주 옛날로 거슬러 올라가요. 오래된 자료에 record된 것들을 보면, 고대의 사람들은 소나 염소를 많이 길렀는데, 먹고 remaining한 젖을 store했다가 버터나 치즈, 요구르트 등을 accidentally 만들어 내게 되었을 것으로 추측하고 있어요. 정확한 기원을 알 수는 없지만, 오늘날 우리가 치즈를 활용한 excellent한 음식들을 즐길 수 있다는 사실은 참 다행스러운 일이죠.

치즈 industry의 발달과 전 세계의 다양한 치즈들이 trade되면서, 우리는 가까운 마트에서도 쉽게 치즈를 사서 즐길 수 있어요. 또한 리코타 치즈를 만드는 법은 아주 간단해서, 여러분도 집에서 신선한 치즈를 만들 수 있어요. 어떻게 하면 되냐고요? 먼저 우유와 생크림, 레몬, 소금을 준비하세요. 냄비에 우유와 생크림을 2 : 1 비율로 넣고 약한 불로 끓여 줍니다. 그리고 끓기 시작하면 레몬과 소금을 넣어요. 이제 약한 불에서 덩어리가 만들어질 때까지 끓여 주세요. 마지막으로 면포를 사용하여 액체와 덩어리를 separate하면 치즈가 완성되는 거예요! 이제 여러분도 집에서 만든 맛있는 치즈를 enjoy해 볼 수 있겠죠?

본문 미리보기 QUIZ

1 스위스의 치즈 퐁뒤는 [□ 관광객들에 / □ 농부들에] 의해 전 세계적으로 유명해졌다. 122쪽에서 확인

2 다양한 종류의 치즈는 [□ 최근에 와서야 / □ 로마제국 시대에] 만들어졌다. 124쪽에서 확인

독해의 장벽을 깨는 만만한 Vocabulary

Study Date: ______ / ______

☐ 1	**accidentally** [æ̀ksədéntəli]	부 우연히	우연히 만나다	________ meet
☐ 2	**dip** [dip]	동 살짝 담그다	소스를 찍다	________ in sauce
☐ 3	**dish** [diʃ]	명 요리	곁들임 요리	a side ________
☐ 4	**enjoy** [indʒɔ́i]	동 즐기다	인생을 즐기다	________ life
☐ 5	**excellent** [éksələnt]	형 훌륭한	훌륭한 연설	an ________ speech
☐ 6	**industry** [índəstri]	명 산업	영화 산업	the movie ________
☐ 7	**leftover** [léftòuvər]	형 먹다 남은	먹다 남은 빵	________ bread
☐ 8	**melt** [melt]	동 녹다	얼음을 녹이다	________ ice
☐ 9	**promote** [prəmóut]	동 장려하다	판매를 촉진시키다	________ sales
☐ 10	**record** [rékərd]	명 기록	역사적 기록	a historical ________
☐ 11	**remaining** [riméiniŋ]	형 남은	남은 시간	the ________ time
☐ 12	**separate** [sépərèit]	동 분리하다	둘을 분리하다	________ the two
☐ 13	**store** [stɔːr]	동 저장[보관]하다	음식을 저장하다	________ food
☐ 14	**trade** [treid]	동 무역하다	유럽과 무역하다	________ with Europe
☐ 15	**traditional** [trədíʃənəl]	형 전통의	전통 복장	a ________ dress

어휘 자신만만 QUIZ

1 남은 빵을 치즈 소스에 다시 담그지 않아야 한다.

Do not dip the ______________ bread into the cheese sauce again.

2 전설에 따르면, 첫 치즈는 우연히 만들어졌다고 한다.

According to legend, the first cheese was created ______________.

Reading 01

Swiss Cheese Fondue

My Reading Time | Words 156 / 1분 50초

1회 ____분____초 2회 ____분____초

Fondue is the most famous Swiss cheese dish. The name came from the French word *fondre* meaning "melt." The origin of the dish is not certain, but for a long time farmers in Switzerland have enjoyed fondue. For them, fondue is an excellent way to deal with extra cheese and 5 leftover bread.

During the 1950s, the cheese industry in Switzerland was having a hard time. So, the dish was promoted. Tourists loved fondue, and soon the dish became popular around the world.

To enjoy fondue, sit around a table. In the middle of the table, put a 10 pot over a small burner. Pick up a piece of bread with a long fork and dip it into the melted cheese in the pot. Do not touch the fork with your tongue or lips. ________, avoid "double-dipping." If you have taken a bite of some bread, do not dip the remaining bread into the cheese sauce again.

Words

dish 명 요리 melt 동 녹다 certain 형 확실한 enjoy 동 즐기다 excellent 형 훌륭한 deal with 처리하다 extra 형 추가의 leftover 형 먹다 남은 industry 명 산업 promote 동 장려하다 tourist 명 관광객 pot 명 냄비, 솥 burner 명 가열 기구 dip 동 살짝 담그다 tongue 명 혀 avoid 동 피하다 remaining 형 남은

LINK 실력 향상 WORKBOOK p.58

Topic

1 본문의 주제로 가장 알맞은 것은?

a. 퐁뒤를 먹는 예절
b. 퐁뒤를 만드는 데 필요한 도구
c. 스위스 방식으로 빵과 치즈 먹는 법
d. 치즈 산업의 성장과 쇠퇴

Details

2 문장을 읽고 본문의 내용과 일치하면 T, 일치하지 않으면 F를 쓰시오.

(1) ______ Fondue is one way to consume extra cheese in Switzerland.
(2) ______ Cheese and bread are heated together in the same pot.
(3) ______ A long fork is used to dip food into the cheese sauce.

Linking

3 본문의 빈칸에 들어갈 말로 가장 알맞은 것은?

a. Even though
b. In addition
c. In contrast
d. In other words

Summary

4 Complete the summary with the words in the box.

Fondue is a Swiss cheese dish. The dish was a nice way for Swiss ________ to deal with extra ________. When the ________ ________ was in trouble, fondue was promoted, and ________ made it popular around the world. To enjoy the dish, you should be aware of the proper etiquette.

맛있는 치즈

치즈는 주로 소젖, 염소젖, 양젖으로 만든다. 수백 가지가 넘는 치즈는 원료의 종류와 제조 방법이 다르다. 이탈리아, 네덜란드, 스위스 등은 치즈를 만드는 대표적인 국가이다. 아나토라는 천연 색소 때문에 치즈는 흔히 노란색을 띈다. 다양한 영양소(지방, 단백질, 칼슘, 인)들이 풍부하게 포함되어 있고, 저장과 이동이 편리한 장점이 있다. 우리나라는 1974년부터 치즈 생산을 시작했다.

▶ 맛있는 치즈가 어떻게 만들어지는지 동영상에서 확인해 보세요! Time 7' 15''

Reading 02 A History of Cheese

My Reading Time | Words 141 / 1분 40초

1회 ____분 ____초 2회 ____분 ____초

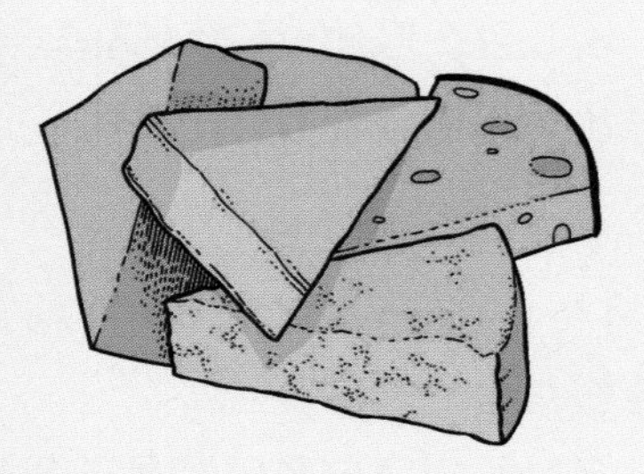

People have made cheese for thousands of years. However, nobody knows who made the first cheese and how it was made. According to legend, the first cheese was created accidentally when milk was stored in an animal's stomach. An enzyme from <u>the container</u> caused the milk to separate into liquid and solids. The solid part of the milk turned into cheese.

Cheese was made throughout Europe and the Middle East as early as 7,000 years ago. Ancient Sumerian records seem to describe cheese, and wall paintings in ancient Egyptian tombs show how to make cheese. By the time of the Roman Empire, cheese was ________. When Julius Caesar was in power, hundreds of kinds of cheese were produced and traded across the Roman Empire and beyond. It is no wonder perhaps that today's most traditional Italian pizza has cheese on it.

Words

legend 명 전설 accidentally 부 우연히 store 동 저장[보관]하다 stomach 명 위(장) enzyme 명 효소 separate 동 분리하다 liquid 명 액체 solid 명 고체 throughout 전 …전체에 걸쳐서 Sumerian 명 수메르인 record 명 기록 trade 동 거래[무역]하다 beyond 부 그 너머에 traditional 형 전통의

Study Date: ______ / ______

LINK 실력 향상 WORKBOOK p.60

Purpose

1 **본문의 목적으로 가장 알맞은 것은?**

a. to present a recipe for a cheese dish
b. to thank cheese-makers
c. to describe how cheese has developed
d. to give tips for making cheese

Reference

2 **밑줄 친 the container가 가리키는 것을 본문 중의 세 단어로 쓰시오.**

____

Inference

3 **본문의 빈칸에 들어갈 말로 가장 알맞은 것은?**

a. expensive
b. popular
c. natural
d. similar

Summary

4 **Complete the summary with the words in the box.**

Cheese has a long ________. It is believed that the first cheese was made ________ when milk in a container was separated into liquid and solids by an enzyme. The ________ part of the milk became cheese. ________ records and paintings show that cheese was produced thousands of years ago. When Julius Caesar ruled Rome, many kinds of cheese were made and ________ widely.

지식 백과

지방이 많은 버터

살균 처리를 하지 않은 우유는 시간이 지나면서 윗부분에 지방분을 많이 함유한 크림이 떠오르는데, 이 크림을 저을 때 지방 입자가 서서히 모이며, 이 입자를 가열하여 졸인 것이 버터이다. 그래서 단백질 함량이 높은 치즈와는 달리, 버터에는 지방 함량이 매우 높다. 버터가 대량 생산되기 전 중세시대에 버터는 귀중품으로 여겨지기도 했다.

Reading Closer

독해의 내공을 키우는 마무리 학습

A

Unit 15에서 학습한 단어를 생각해 보고, 다음 퍼즐을 완성해 보시오.

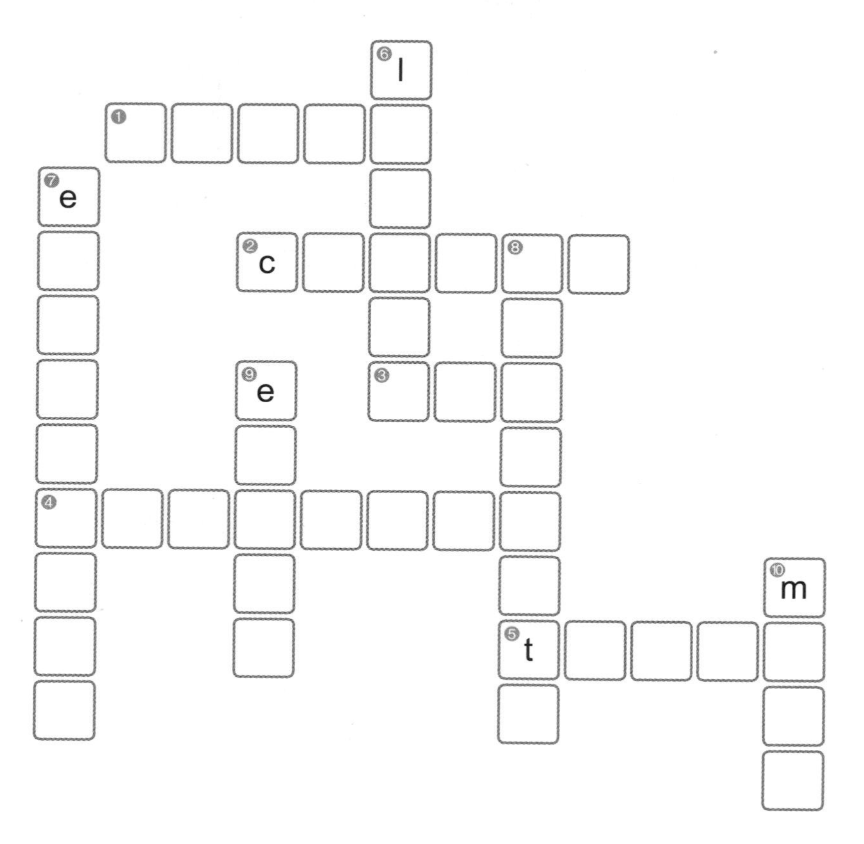

Across

❶ 음식을 저장하다: __________ food

❷ a yellow or white solid food that is made from milk

❸ 살짝 담그다

❹ 먹다 남은 빵: __________ bread

❺ to buy or sell of goods or services between countries

Down

❻ an old story from ancient times

❼ 훌륭한 연설: an __________ speech

❽ 분리하다

❾ a similar word of "additional"

❿ to change from a solid into a liquid

Study Date: ______ / ______

B 다음 [보기]에서 알맞은 말을 골라 문장을 완성하시오.

보기	origin	avoid	store	separate	liquid

1 If ice melts, it will turn into a __________.

2 Sometimes it is difficult to __________ fact from fiction.

3 You should __________ leftover bread in the refrigerator.

4 Scientists are interested in the __________ of the universe.

5 I try to __________ markets on Saturdays because they are crowded.

생각을 키우는 서술형 • 수행평가 대비 훈련

C 다음 [보기]에서 알맞은 말을 골라 글을 완성하시오.

Cheese has been with us for a long time. Cheese was made as early as 7,000 years ago. According to __________, the first cheese was __________ by accident when an enzyme helped milk separate into liquid and __________. Ancient Sumerians, Egyptians, and Romans enjoyed cheese. Today, cheese is used in lots of dishes. One __________ dish is fondue, a famous Swiss cheese dish. People dip bread into warm __________ cheese.

보기	solids	legend	melted	created	popular

UNIT 16 A Broken Promise

생각의 폭을 넓히는 배경지식 Story

#Topic Promise & Curiosity

여러분은 promise를 잘 지키는 편인가요? 약속을 지키는 일은 간단하지만 어려운 일이죠. 그래서인지 옛날부터 사람들은 약속의 중요성을 알려 주기 위해 여러 가지 이야기를 만들었어요.

그리스 신화에 나오는 최고의 시인이자 음악가 오르페우스는 부인 에우리디케와 아주 행복한 시간을 보냈어요. 그러던 어느 날, 에우리디케가 독사에 물려 죽게 되었죠. 슬픔에 빠진 오르페우스는 저승의 신들에게 찾아가 그녀를 되살려 달라고 간청했어요. 그가 연주하는 아름다운 곡이 신들을 satisfy하게 했고, 그들은 에우리디케를 지상으로 되돌려 보내기로 해요. 하지만 한 가지 약속을 하는데, 지상에 도착할 때까지 절대 뒤돌아보지 말라는 것이었어요. 신들의 kindness에 appreciate하고 돌아가는 길에, 오르페우스는 에우리디케가 잘 오고 있는지 확인하고 싶은 마음을 stand할 수 없었어요. 그가 약속을 break하고 뒤를 돌아보자, 에우리디케는 다시 지옥으로 끌려갔어요. 오르페우스는 regret했지만 이제는 돌이킬 수 없었죠.

이어지는 글도 약속을 지키지 않은 한 남자에 관한 이야기예요. 과연 어떤 일이 일어났을지, 함께 읽어 볼까요?

본문 미리보기 QUIZ

1 젊은 남자는 [□ 아이들로부터 / □ 노인으로부터] 거북이를 구해 줬다. 130쪽에서 확인

2 젊은 남자는 상자 두 개를 모두 열어서 [□ 부자가 / □ 노인이] 되었다. 132쪽에서 확인

독해의 장벽을 깨는 만만한 Vocabulary

Study Date: ______ / ______

☐ 1	**appreciate** [əpríːʃièit]	동 감사하다	도와줘서 감사하다	________ your help
☐ 2	**as soon as**	…하자마자	그가 끝나자마자	________ he finishes
☐ 3	**break** [breik]	동 어기다	약속을 어기다	________ the promise
☐ 4	**bully** [búli]	동 괴롭히다	약자를 괴롭히다	________ the weak
☐ 5	**crowd** [kraud]	명 군중	화난 군중	an angry ________
☐ 6	**feast** [fiːst]	명 연회, 잔치	결혼식 피로연	a wedding ________
☐ 7	**kindness** [káindnis]	명 친절	친절한 행동	acts of ________
☐ 8	**palace** [pǽlis]	명 궁전	아름다운 궁전	a beautiful ________
☐ 9	**regret** [rigrét]	동 후회하다	깊이 후회하다	deeply ________
☐ 10	**rich** [ritʃ]	형 부유한	부유하게 되다	become ________
☐ 11	**satisfy** [sǽtisfài]	동 만족시키다	수요를 충족시키다	________ the demand
☐ 12	**stand** [stænd]	동 견디다	더위를 견디다	________ the heat
☐ 13	**secret** [síːkrit]	명 비밀	비밀을 지키다	keep a ________
☐ 14	**turn** [təːrn]	동 (…한 상태로) 되다	눈이 빨갛게 되다	eyes ________ red
☐ 15	**wrinkle** [ríŋkl]	명 주름	주름으로 가득하다	full of ________s

어휘 자신만만 QUIZ

1 당신의 친절에 정말 감사드립니다.

I really appreciate your ________________.

2 그의 머리카락은 하얗게 되었고 그의 얼굴은 주름으로 가득 찼다.

His hair ________________ white, and his face was full of wrinkles.

Reading 01

He Got Two Boxes

My Reading Time | Words 165 / 1분 52초

1회 ____분 ____초 2회 ____분 ____초

Long, long ago, some children were playing at the seaside when they found a turtle. They began to bully the turtle. After a while, a young man came and said to them, "Stop it!" The children went away.

"I really appreciate your kindness. I really would like to invite you to a wonderful palace now," the turtle said. As soon as the young man got on the turtle's back, he was taken to a secret palace under the sea. When he arrived at the palace, he was very surprised. The palace was very beautiful.

The king of the turtles had a feast for him. He had never seen such a good feast. He received a warm welcome there, and he was very satisfied with everything. He thought there was no other place nicer than that one.

When he left, the turtle said, "I'm going to give you two boxes, but you can only open one of the boxes. You must not open both. Don't forget!"

Words

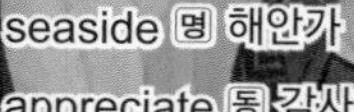

seaside 명 해안가 turtle 명 거북이 bully 통 괴롭히다 after a while 잠시 후에 go away 도망가다
appreciate 통 감사하다 kindness 명 친절함 invite 통 초대하다 wonderful 형 멋진 palace 명 궁전
as soon as …하자마자 secret 명 비밀 feast 명 연회, 잔치 be satisfied with …에 만족하다

LINK 실력 향상 WORKBOOK p.62

Feelings

1 젊은이가 궁전에서 느낀 감정으로 가장 알맞은 것은?

a. happy
b. angry
c. worried
d. bored

Reference

2 밑줄 친 that one이 가리키는 바로 가장 알맞은 것은?

a. the feast
b. the sea
c. the palace
d. the king of the turtles

Details

3 문장을 읽고 본문의 내용과 일치하면 T, 일치하지 않으면 F를 쓰시오.

(1) ______ The turtle saved the young man's life.

(2) ______ The young man rode the turtle's back to the secret palace.

(3) ______ The king of the turtles didn't like the young man.

Prediction

4 젊은이에게 어떤 일이 벌어질까요? 하나를 골라 자신의 예측을 쓰시오.

- become very rich
- open both the boxes
- come back to the palace again
- throw one of the boxes away

He would ______________________. ______________________

____

____

거북이 이야기

거북은 지구상에 서식하는 파충류 중 가장 오래전부터 존재해온 동물 중 하나이다. 그래서인지 거북이는 많은 문화권의 이야기에 등장한다. 흔히 지혜, 지식, 그리고 장수(longevity)를 상징하는 동물이다. 특히, 아프리카에서는 가장 똑똑한 동물로 간주되기 때문에 다양한 동화의 주인공으로 나온다. Aesop의 우화, 우리나라의 전래동화, 심지어 *Ninja Turtles*와 같은 만화영화에도 등장한다.

멸종 위기의 바다거북들을 지키는 사람들의 이야기를 확인해 보세요! Time 2' 34"

Reading 02

He Broke His Promise

My Reading Time | Words 143 / 1분 40초

1회 ____분 ____초 2회 ____분 ____초

"All right. I'll open only one," the young man promised. A large crowd of turtles said goodbye to him as he left.

When he got home, he opened the bigger of the two boxes. To his ________, there was a great deal of gold in the box. "Heavens!" he said loudly. He was rich now. He thought, "The other one must also be full of money." He could not stand not opening the box, so he broke his promise and opened it.

As soon as he opened the box, he became an old man. His hair turned white, and his face was full of wrinkles. He looked like an old man over eighty years old. It all happened in a moment. After that, he regretted what he had done. "Just because I broke a simple promise...," he said, but it was too late.

Words break 동 어기다 promise 명 약속 crowd 명 군중 leave 동 떠나다 to one's surprise …가 놀랍게도 a great deal of 많은 양의 rich 형 부유한 stand 동 견디다 turn 동 (…한 상태로) 되다 wrinkle 명 주름 over 전 …이 넘는 in a moment 순식간에 regret 동 후회하다 simple 형 간단한

LINK 실력 향상 WORKBOOK p.62

Purpose

1 이야기의 교훈을 나타내는 속담으로 가장 알맞은 것은?

a. Actions speak louder than words.

b. Necessity is the mother of invention.

c. A bad workman always blames his tools.

d. If you want too much, you will lose everything.

Inference

2 본문의 빈칸에 들어갈 말로 가장 알맞은 것은?

a. regret
b. anger
c. surprise
d. kindness

Details

3 본문의 내용과 일치하는 것은?

a. 두 개의 상자 덕분에 젊은이는 부자가 되었다.

b. 젊은이는 큰 상자를 먼저 열어보았다.

c. 작은 상자는 돈으로 가득 차 있었다.

d. 젊은이는 노인이 될 때까지 약속을 지켰다.

Summary

4 Complete the summary with the words in the box.

thanked	bullied	broke	regretted	welcomed

A young man saved a turtle __________ by children. The turtle __________ him and took him to a palace in the sea. He was __________ there and was given two boxes when he left. The turtle told him to open only one of them. The young man opened one box at home, and it was full of gold. He __________ his promise and opened the other box. He became an old man and __________ what he had done.

지식 백과

호기심의 장점

호기심(curiosity)은 어떤 것의 존재나 이유에 대해 궁금해하거나 알려고 하는 마음이다. Curiosity killed the cat. (호기심이 지나치면 위험할 수 있다.)라는 말이나 앞선 이야기들처럼 호기심이 문제를 일으키기도 하지만 많은 장점을 제공한다. 호기심이 많은 사람은 지겨움을 덜 느끼며, 관심이 가는 일에 더 열중한다. 호기심은 새로운 사실을 발견하고 새로운 사람을 만나며, 다양한 문화와 생각에 대해 개방적이도록 만든다. 무엇보다도 호기심은 창의성의 원동력이 된다.

A Unit 16에서 학습한 단어를 생각해 보고, 다음 퍼즐을 완성해 보시오.

❺ f
❶ a
❻ b
❷
❸ p ❼
❽ b
❾ r
❹

Across

❶ 도와줘서 감사하다: __________ your help

❷ 깊이 후회하다: deeply __________

❸ a large house where a king or queen lives

❹ a small line on your face

Down

❺ 연회, 잔치(party)

❻ 약속을 어기다: __________ the promise

❼ a large group of people

❽ 약자를 괴롭히다: __________ the weak

❾ having much more money than most people

B 다음 [보기]에서 알맞은 말을 골라 문장을 완성하시오.

보기	crowd	stand	regret	appreciate	secret

1 The spy received a ________ message from his boss.

2 I really ________ all the help you gave me on the weekend.

3 If you do not do your best now, you will ________ it later.

4 In summer, people sometimes have to ________ extreme heat.

5 There was a large ________ at the park.

생각을 키우는 서술형 • 수행평가 대비 훈련

C 다음 네모 안에서 알맞은 말을 골라 글을 완성하시오.

"A Broken Promise" is a story about a young man who helped a [turtle / bully] and traveled underwater. He received two boxes. The [king / queen] of the turtles told him to open one of them only. There was lots of [silver / gold] in the first box. The young man wanted more. So, he broke his [box / promise] and opened the other one. He became an old man with white hair and a [wrinkled / broken] face. I learned that we should not want too much.

Make Your Own Quotes

앞에서 배운 내용 중에서
마음속에 간직하고 싶은
좋은 문장들을 여기에 적어 봅시다!

The Sun gives us light, and it gives us life, too. (106쪽)

태양은 우리에게 빛을 주며, 우리에게 생명도 준다.

배움으로 행복한 내일을 꿈꾸는

천재교육 커뮤니티 안내

교재 안내부터 구매까지 한 번에!

천재교육 홈페이지

자사가 발행하는 참고서, 교과서에 대한 소개는 물론
도서 구매도 할 수 있습니다. 회원에게 지급되는 별을 모아
다양한 상품 응모에도 도전해 보세요!

다양한 교육 꿀팁에 깜짝 이벤트는 덤!

천재교육 인스타그램

천재교육의 새롭고 중요한 소식을 가장 먼저 접하고 싶다면?
천재교육 인스타그램 팔로우가 필수!
깜짝 이벤트도 수시로 진행되니 놓치지 마세요!

수업이 편리해지는

천재교육 ACA 사이트

오직 선생님만을 위한, 천재교육 모든 교재에 대한 정보가 담긴
아카 사이트에서는 다양한 수업자료 및 부가 자료는 물론
시험 출제에 필요한 문제도 다운로드하실 수 있습니다.

https://aca.chunjae.co.kr

천재교육을 사랑하는 샘들의 모임

천사샘

학원 강사, 공부방 선생님이시라면 누구나 가입할 수 있는 천사샘!
교재 개발 및 평가를 통해 교재 검토진으로 참여할 수 있는 기회는 물론
다양한 교사용 교재 증정 이벤트가 선생님을 기다립니다.

아이와 함께 성장하는 학부모들의 모임공간

튠맘 학습연구소

튠맘 학습연구소는 초·중등 학부모를 대상으로 다양한 이벤트와 함께
교재 리뷰 및 학습 정보를 제공하는 네이버 카페입니다.
초등학생, 중학생 자녀를 둔 학부모님이라면 튠맘 학습연구소로 오세요!

배경 지식

바로 읽는 독해

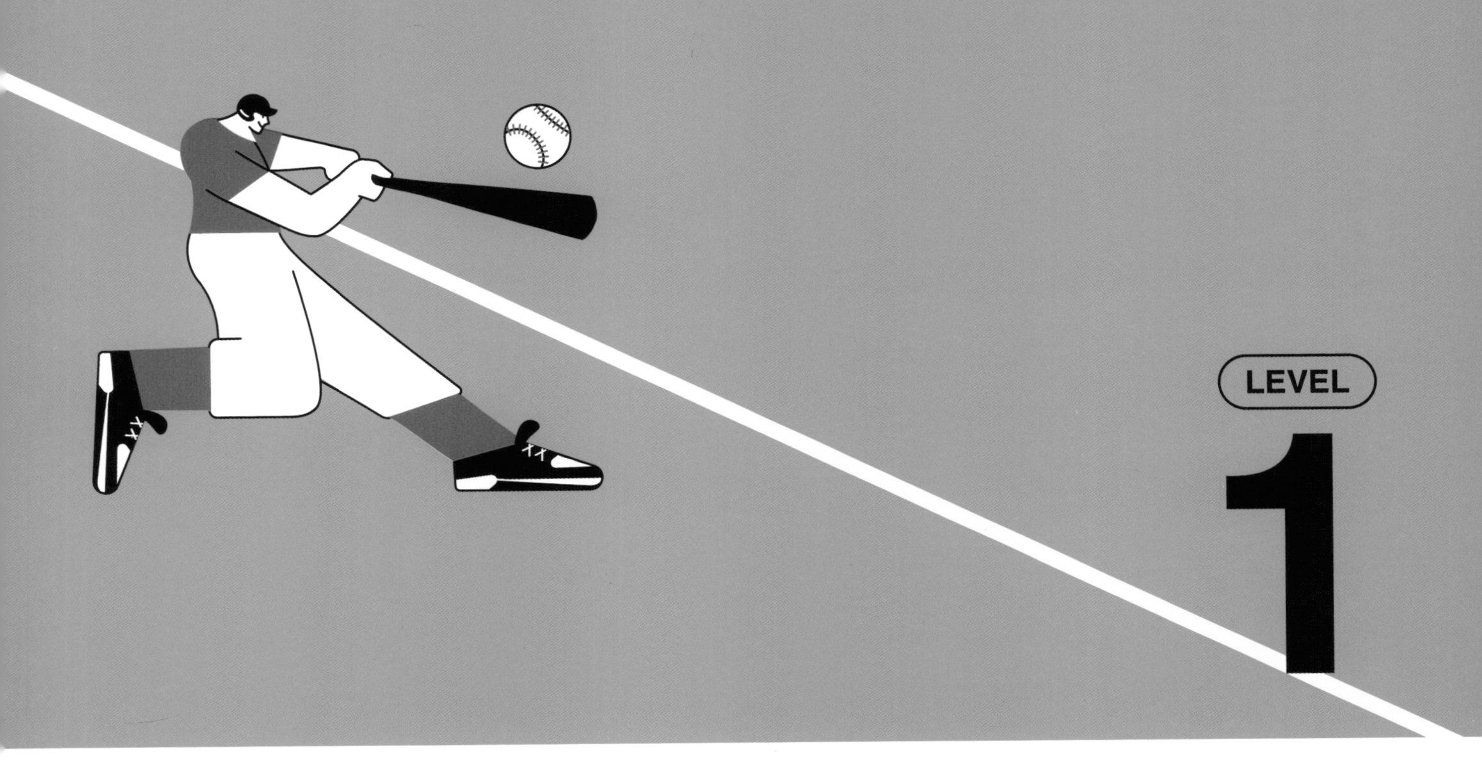

LEVEL

1

WORKBOOK

CHUNJAE
EDUCATION, INC.

바로 읽는 독해

배경 지식

WORKBOOK

바로 읽는 배경지식 독해

실력향상 WORKBOOK

LEVEL 1

01 Trick the Eye

쉬운 독해를 위한 Vocabulary 업그레이드

A 다음 영어 표현을 읽고 뜻을 쓰시오.

1 trick ____________

2 fishing ____________

3 village ____________

4 crowded ____________

5 visit ____________

6 beautiful ____________

7 bright ____________

8 real ____________

9 idea ____________

10 painting ____________

11 tradition ____________

12 perhaps ____________

13 fisherman ____________

14 easily ____________

15 return ____________

16 surprise ____________

B 다음 주어진 표현을 배열하여 우리말을 영어로 쓰시오.

1 그들은 마을 주변의 해변과 음식을 아주 좋아한다.
(around / and / the village / the food / the beach / love / they)

2 사진에 있는 높은 집들을 보라. (in the pictures / at / the tall / look up / houses)

3 그 집들은 밝은 색깔과 재미있는 디자인으로 칠해져 있다.
(and / the houses / interesting designs / are painted / in bright colors)

4 그들은 단지 자신들의 집을 아름답게 보이게 하고 싶었을 것이다.
(beautiful / just / wanted / look / they / their houses / to make)

끊어 읽기 구문 학습으로 독해 실력 업그레이드

Study Date: /

C

다음과 같이 끊어진 표시에 유의하여 읽고, 문장을 우리말로 해석하시오.

1 Camogli / is / a small fishing village / in Italy.

2 Only about 7,000 people / live / there.

3 But / lots of people / visit / in summer, / so / it / gets / very crowded.

4 You / will see / open windows / and beautiful balconies.

5 But / they / are / not real. // They / are / only paintings.

6 This / is / *trompe l'oeil*, / which means / "trick the eye."

7 This tradition / began / a long time ago. // Why / did / it / start?

8 Perhaps / it / helped / fishermen / see / their houses easily / from the sea.

9 They / painted / their houses / while / their husbands / were / away fishing.

10 They / wanted / to surprise / their husbands / when / they / returned home.

UNIT 01

02 Murals for Different Purposes

쉬운 독해를 위한 Vocabulary 업그레이드

A

다음 영어 표현을 읽고 뜻을 쓰시오.

1 save ____________
2 different ____________
3 purpose ____________
4 draw ____________
5 artist ____________
6 history ____________
7 popular ____________
8 government ____________
9 beautiful ____________
10 hope ____________
11 add ____________
12 ordinary ____________
13 ugly ____________
14 local ____________
15 tear down ____________
16 create ____________

B

다음 주어진 표현을 배열하여 우리말을 영어로 쓰시오.

1 어떤 벽화는 메시지를 주기 위해서 만들어진다.
(are created / some / to give / murals / messages)

2 1930년대에 미국에서 벽화는 미국인들에게 희망을 주었다.
(in 1930s / murals / in America / to / hope / gave / Americans)

3 벽화는 평범한 장소에 아름다움을 더할 수 있다.
(a mural / an ordinary place / can / to / beauty / add)

4 한국에서 벽화는 동피랑을 아름다운 장소로 변화시켰다.
(in Korea / a beautiful place / murals / into / changed / Dongpirang)

끊어 읽기 구문 학습으로 독해 실력 업그레이드

Study Date: ______ / ______

C

다음과 같이 끊어진 표시에 유의하여 읽고, 문장을 우리말로 해석하시오.

1 For a long time, / people / have drawn / murals / — paintings / on walls.

2 Murals / have always been / a part of our history, / and / people / have painted / them / for different purposes.

3 During the 1930s, / many Americans / did not have / jobs.

4 A special government program / paid / thousands of artists / to make / murals / across America.

5 The beautiful murals / gave / Americans / hope / that / the hard times / would get better.

6 Many houses / looked ugly, / so / the local government / wanted / to tear them down.

7 In 2007, / however, / artists / came / to the town / and / painted / beautiful pictures / on the walls.

8 The town / soon became popular, / and / many people / visited to see / the murals.

9 The murals / have saved / the town.

01 Uncle Frank's New Hive

쉬운 독해를 위한 Vocabulary 업그레이드

A 다음 영어 표현을 읽고 뜻을 쓰시오.

1 attack ______________

2 protect ______________

3 spray ______________

4 helmet ______________

5 hive ______________

6 lay ______________

7 net ______________

8 place ______________

9 sticky ______________

10 sting ______________

11 carefully ______________

12 look for ______________

13 arrive ______________

14 order ______________

15 learn ______________

16 queen ______________

B 다음 주어진 표현을 배열하여 우리말을 영어로 쓰시오.

1 Frank 삼촌과 나는 각각 망사로 된 헬멧을 썼다.
(a net / each wore / Uncle Frank / a helmet / with / and I)

2 우리는 벌침으로부터 우리 자신들을 보호해야만 했다.
(ourselves / we / bee stings / had to / protect / from)

3 그리고 그는 상자 안에서 여왕벌을 찾았다.
(looked for / in the box / then / he / the queen bee)

4 Frank 삼촌은 여왕벌을 새 나무 벌집으로 옮겼다.
(a new / moved / the queen bee / wooden box / into / Uncle Frank)

끊어 읽기 구문 학습으로 독해 실력 업그레이드

Study Date: /

C

다음과 같이 끊어진 표시에 유의하여 읽고, 문장을 우리말로 해석하시오.

1 Uncle Frank / is / a beekeeper.

2 He / ordered / a box of bees / a month ago, / and / it / finally / arrived.

3 I / visited / him / last weekend / and / learned / how to start / a new hive.

4 Uncle Frank / sprayed / sugar water / on the bees / in the paper box.

5 This / made / their wings / sticky, / so / the bees / couldn't fly / for a few minutes.

6 The queen / is / important / to the hive, / and / the other bees / will attack / to protect her.

7 He / carefully took / her / out of the box / and / placed / her / in a new hive / which / was made of / wood.

8 Next, / Uncle Frank / dumped / the rest of the bees / from the box / into the hive.

9 His work / for the day / was done.

10 Soon, / the queen / would start / laying eggs, / and / the hive / would grow.

02 Why Do Bees Dance?

쉬운 독해를 위한 Vocabulary 업그레이드

A

다음 영어 표현을 읽고 뜻을 쓰시오.

1 closely ____________

2 in fact ____________

3 language ____________

4 complex ____________

5 dance ____________

6 perform ____________

7 within ____________

8 round ____________

9 several ____________

10 toward ____________

11 farther ____________

12 pattern ____________

13 repeat ____________

14 length ____________

15 circle ____________

16 return ____________

B

다음 주어진 표현을 배열하여 우리말을 영어로 쓰시오.

1 자세히 살펴보면 여러분은 그들의 춤이 변하는 것을 발견할 것이다.
(closely / will find / you / and / that / changes / their dance / watch)

2 '둥근' 춤을 출 때 일벌들은 작은 원을 그린다.
(the worker bee / runs / in a round dance / in small circles)

3 일벌은 먹이가 멀리 떨어져 있을 때 '흔들기' 춤을 춘다.
(when / the worker bee / a waggle dance / does / far away / is / the food)

4 흔들기의 길이는 먹이가 얼마나 떨어져 있는지 보여 준다.
(is / far away / the length of / shows / the waggle / how / the food)

끊어 읽기 구문 학습으로 독해 실력 업그레이드

Study Date: ______ / ______

C

다음과 같이 끊어진 표시에 유의하여 읽고, 문장을 우리말로 해석하시오.

1 Why / do / bees / dance? // In fact, / dancing / is / their language.

2 It / is / very complex. // The worker bee / goes out / to look for / food.

3 When / it / finds / food, / it / returns / and / performs / one of two dances.

4 If / the food / is / within 50 to 75 meters, / the bee / does / a "round" dance.

5 It / runs / in a small circle / to the left first / and then / back to the right.

6 The bee / repeats / this pattern / several times.

7 When / the food / is / farther away, / the bee / does / a "waggle" dance.

8 First, / it / runs / toward the food / while / it / waggles / or moves / its back end.

9 Then / it / returns / to the starting point / and / repeats / the waggle dance.

10 For example, / if / the bee / waggles / for 4 seconds, / the food / is / about 4,400 meters / away.

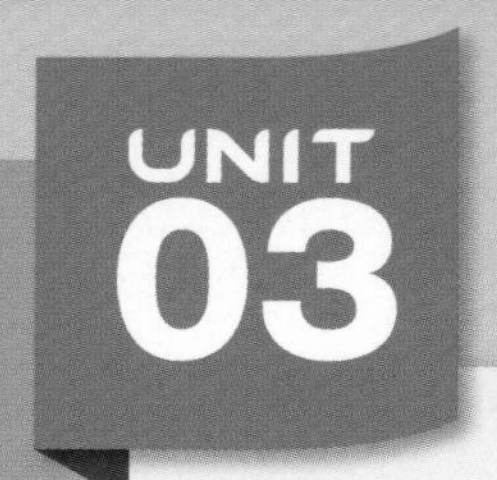

01 The Capital of Mexico

쉬운 독해를 위한 Vocabulary 업그레이드

A

다음 영어 표현을 읽고 뜻을 쓰시오.

1 sea level ______________

2 volcano ______________

3 square ______________

4 achieve ______________

5 ocean ______________

6 independence ______________

7 official ______________

8 originally ______________

9 be located in ______________

10 at least ______________

11 mountain ______________

12 build ______________

13 destroy ______________

14 influence ______________

15 language ______________

16 completely ______________

B

다음 주어진 표현을 배열하여 우리말을 영어로 쓰시오.

1 그것은 그 나라에서 가장 큰 도시이다. (in / the largest / it / the / is / city / country)

2 이 도시는 또한 나라의 정치, 문화적 중심지이다.
(the country / center / also / of / the political / it / is / and / cultural)

3 이 도시는 1524년에 재건되어 멕시코시티라고 불리게 되었다.
(was rebuilt / the city / Mexico City / in 1524 / and named)

4 스페인은 멕시코에 엄청난 영향을 끼쳤다. (Mexico / Spain / greatly / influenced / has)

끊어 읽기 구문 학습으로 독해 실력 업그레이드

Study Date: ______ / ______

C 다음과 같이 끊어진 표시에 유의하여 읽고, 문장을 우리말로 해석하시오.

1 Mexico City / is / the capital of Mexico. // It / is located / in the Valley of Mexico.

2 It / is / at least 2,200 meters / above sea level, / and / there / are / high mountains / and volcanoes / around it.

3 It / has / a land area / of 1,485 square kilometers.

4 Almost / nine million people / live / there.

5 The city / was originally built / by the Aztecs / in 1325.

6 In 1519, / however, / it / was completely destroyed / by the Spanish / who / crossed / the Atlantic Ocean / to rule Mexico.

7 Mexico / was / under / Spanish rule.

8 It / achieved / independence / in 1821.

9 Today, / Spanish / is / the official language / of Mexico, / and / most Mexicans / are / Catholic.

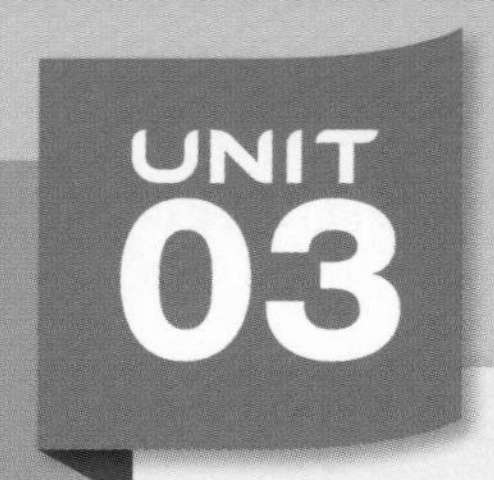

02 Day of the Dead

쉬운 독해를 위한 Vocabulary 업그레이드

A

다음 영어 표현을 읽고 뜻을 쓰시오.

1 dead ____________

2 November ____________

3 remember ____________

4 get together ____________

5 decorate ____________

6 sugar ____________

7 favorite ____________

8 candle ____________

9 skull ____________

10 grave ____________

11 dress up ____________

12 parade ____________

13 bread ____________

14 bite ____________

15 good luck ____________

16 midnight ____________

B

다음 주어진 표현을 배열하여 우리말을 영어로 쓰시오.

1 '죽은 자의 날'은 멕시코의 공휴일이다.
(holiday / a / Mexican / is / the Day of the Dead)

2 그들은 무덤을 깨끗이 하고 꽃과 촛불로 장식한다.
(with / graves / they / decorate / flowers / clean / and / them / and candles)

3 그들은 죽은 가족에 관한 이야기를 나눈다.
(tell / dead / about / stories / family members / they)

4 많은 사람들은 해골처럼 변장하고 길거리에서 행진을 한다.
(through the streets / many people / as skeletons / and / dress up / parade)

끊어 읽기 구문 학습으로 독해 실력 업그레이드

Study Date: ____ / ____

C

다음과 같이 끊어진 표시에 유의하여 읽고, 문장을 우리말로 해석하시오.

1 The Day of the Dead / is / a holiday / in Mexico. // It / falls / on November 1 and 2.

2 It / is / a day / to remember / dead family members.

3 It / is / like *Chuseok* / in Korea.

4 Families / get together / and / pray for / their dead family members.

5 They / believe / that / the dead / are going to visit / them / on that night.

6 So / people / build / special tables / in their homes / and / decorate / them / with sugar skulls, / flowers / and favorite foods / of the dead.

7 At midnight, / families / visit / graves.

8 Some people / eat / "bread of the dead."

9 It / often looks like / a skull, / and / a toy skeleton / is / usually hidden / inside it.

10 They / believe / that / the person / who bite / the toy / will have / good luck.

01 When Do Trees Stop Growing?

쉬운 독해를 위한 Vocabulary 업그레이드

A

다음 영어 표현을 읽고 뜻을 쓰시오.

1 grow ____________
2 stop ____________
3 survive ____________
4 repair ____________
5 damage ____________
6 healthy ____________
7 layer ____________
8 outside ____________
9 trunk ____________
10 condition ____________
11 produce ____________
12 growth ring ____________
13 tall ____________
14 still ____________
15 giant ____________
16 thick ____________

B

다음 주어진 표현을 배열하여 우리말을 영어로 쓰시오.

1 정답은 나무들은 결코 자라는 것을 멈추지 않는다는 것이다.
(that / never / stop / trees / growing / the answer / is)

2 나무들은 살아남기 위해 자라야 한다. (in order to / grow / to / trees / need / survive)

3 만약 나무가 자라는 것을 멈춘다면, 그것은 살아남지 못할 것이다.
(stops / a tree / will / if / it / not / growing / survive)

4 열악한 상태에서조차도 나무들은 나이테를 만들 것이다.
(bad / growth rings / in / trees / will produce / even / conditions)

끊어 읽기 구문 학습으로 독해 실력 업그레이드

Study Date: /

C

다음과 같이 끊어진 표시에 유의하여 읽고, 문장을 우리말로 해석하시오.

1 When / do / trees / stop growing?

2 They / can only keep / themselves healthy / by adding / new layers / outside the trunk.

3 In fact, / if / a tree / ever stops growing, / it / will die.

4 However, / the rings / will be / close together / because / the growth / is / so slow.

5 Hyperion, / a coast redwood / in California, / is known to be / the tallest tree / in the world.

6 It / is / 115.9 meters tall. // It / is / still growing.

7 The largest tree / in the world / is / General Sherman, / a giant sequoia.

8 It / is / also / in California. // Its trunk / is / 11.1 meters thick.

9 The tree / is believed to be / about 2,500 years old / and / is also / still growing.

10 Even / the tallest, / largest trees / need to keep / on growing.

02 Plants Can Talk

쉬운 독해를 위한 Vocabulary 업그레이드

A

다음 영어 표현을 읽고 뜻을 쓰시오.

1	plant	______	9	tasty	______
2	communicate	______	10	nearby	______
3	scientist	______	11	insect	______
4	through	______	12	mostly	______
5	chemical	______	13	release	______
6	sense	______	14	free	______
7	leaf	______	15	attract	______
8	give off	______	16	brush	______

B

다음 주어진 표현을 배열하여 우리말을 영어로 쓰시오.

1 식물들은 스스로를 벌레들로부터 보호하기 위해 말한다.
(insects / themselves / to protect / plants / against / talk)

2 식물들은 말로 하는 것이 아니라 화학 물질을 통해 대화한다.
(with / through / but / don't talk / plants / chemicals / words)

3 많은 벌레들은 식물의 잎에 알을 낳는다.
(many / their eggs / on / insects / plant leaves / lay)

4 그 화학 물질들은 무료 식사를 위한 광고와 같다.
(for / are / like / the chemicals / a free meal / an ad)

끊어 읽기 구문 학습으로 독해 실력 업그레이드

Study Date: ____ / ____

C

다음과 같이 끊어진 표시에 유의하여 읽고, 문장을 우리말로 해석하시오.

1 Do / plants / communicate? // Scientists / say / they do.

2 Plants / talk mostly / to protect / themselves.

3 When / an animal / starts eating / a leaf, / the plant / gives off / a chemical.

4 The other leaves / sense / this chemical / and then / produce / their own chemicals / that / make / them / less tasty.

5 Even / nearby plants / get the message / and / change / their taste.

6 They / want / their babies / to have food / to eat / when / they / are born.

7 But / they / can't put up / a hand / and / brush / the eggs away.

8 Some of the plants / are / very smart, / though.

9 They / release / chemicals / into the air / that / attract / other insects.

10 The insects / fly in / and / eat up / the eggs / or the newly born insects.

01 The Underground Army of Soldiers

쉬운 독해를 위한 Vocabulary 업그레이드

A

다음 영어 표현을 읽고 뜻을 쓰시오.

1 amazing ______________
2 discovery ______________
3 soldier ______________
4 bury ______________
5 army ______________
6 field ______________
7 museum ______________
8 strike ______________
9 ruler ______________
10 state ______________
11 underground ______________
12 tomb ______________
13 construction ______________
14 emperor ______________
15 beneath ______________
16 fight ______________

B

다음 주어진 표현을 배열하여 우리말을 영어로 쓰시오.

1 1974년 중국인들은 놀라운 발견을 했다.
(discovery / an amazing / made / the Chinese / in 1974)

2 그 부대는 그가 살아있는 동안 그의 권력을 과시하기 위해 만들어졌다.
(his lifetime / his power / the army / was created / to show / during)

3 도기 병사 부대는 박물관 세 곳에 전시되어 있다.
(are exhibited / three museums / soldiers / terra-cotta / in)

4 각자 고유의 머리 모양과 얼굴 표정을 가지고 있다.
(expression / its / each / own / and / has / facial / hairstyle)

끊어 읽기 구문 학습으로 독해 실력 업그레이드

Study Date: ____ / ____

C

다음과 같이 끊어진 표시에 유의하여 읽고, 문장을 우리말로 해석하시오.

1 Some farmers / were working / in a field.

2 They / struck / something hard.

3 An army of / about 8,000 terra-cotta soldiers / was buried / about five meters / beneath the ground.

4 The soldiers / were / 183–195 cm tall, / and / each / was / different with / its own hairstyle / and facial expression.

5 The army / was designed / to protect / Emperor Qin [Chin] / after / he / died.

6 Emperor Qin / ended / hundreds of years of fighting / among the different states / in China.

7 The construction / of the army and tomb / began / when / he / became / ruler.

8 Visitors / can see / the great army / in three special museums.

9 Sometimes / the terra-cotta soldiers / even go / on tour / around the world.

10 Scientists / believe / that / there / are / still many soldiers / waiting / to be found.

02 The Great Wall

쉬운 독해를 위한 Vocabulary 업그레이드

A

다음 영어 표현을 읽고 뜻을 쓰시오.

1 build ______________

2 join ______________

3 dynasty ______________

4 enemy ______________

5 body ______________

6 structure ______________

7 exactly ______________

8 about ______________

9 strong ______________

10 emperor ______________

11 thousand of ______________

12 fall down ______________

13 exactly ______________

14 call ______________

15 come from ______________

16 sound like ______________

B

다음 주어진 표현을 배열하여 우리말을 영어로 쓰시오.

1 그들은 자신의 나라를 적들로부터 지키고자 했다.
(enemies / they / their country / from / to protect / wanted)

2 백만 명이 넘는 사람들이 장성을 쌓다가 죽었다.
(the wall / people / one million / building / over / died)

3 만리장성은 오늘날 세계에서 가장 큰 건축물이다.
(is / today / the Great Wall / in the world / the largest / structure)

4 우리는 만리장성이 정확히 얼마나 긴지 알지 못한다.
(the Great Wall / we / how / is / don't know / long / exactly)

끊어 읽기 구문 학습으로 독해 실력 업그레이드

Study Date: ______ / ______

C

다음과 같이 끊어진 표시에 유의하여 읽고, 문장을 우리말로 해석하시오.

1 The Chinese / built / the Great Wall / thousands of years ago.

2 First, / they / built / small walls / around the towns.

3 Then Emperor Qin / joined / the walls / to make / one long wall.

4 Emperor Qin / was / the first emperor / of the Qin Dynasty.

5 The name *Qin* / sounds like / *Chin*, / and / the word *China* / comes from / this name.

6 The emperor / wanted / China / to be strong.

7 But / building the Great Wall / was / hard work.

8 Their bodies / are buried / in the wall, / so / some people / call / the Great Wall / "the wall of death."

9 It / is / about 6,400 kilometers long, / about 7.6 meters high, / and / about 4.6 meters wide / at the top.

10 There / are / many different parts / of the wall, / and / some parts / have fallen down.

01 Don't Be Afraid of T. Rex

쉬운 독해를 위한 Vocabulary 업그레이드

A

다음 영어 표현을 읽고 뜻을 쓰시오.

1	tough	9	creature
2	dinosaur	10	calculate
3	fast	11	measure
4	average	12	degree
5	speed	13	worry
6	figure out	14	scientist
7	data	15	second
8	fossil	16	run away

B

다음 주어진 표현을 배열하여 우리말을 영어로 쓰시오.

1 과학자들은 T. Rex의 속도를 측정하기 위해 공룡 화석에서 얻은 자료를 사용했다.
(to measure / dinosaur fossils / scientists / the speed / used data / from / of T. Rex)

2 T. Rex는 치타나 가장 빠른 사람보다 느렸다.
(the fastest human / was slower / cheetahs / T. Rex / than / and)

3 과학자들은 또한 그 공룡(T. Rex)의 회전 속도를 계산했다.
(calculated / turning speed / the scientists / the dinosaur's / also)

4 과학자들은 T. Rex가 매우 느리게 회전했다는 것을 발견했다.
(T. Rex / that / very slowly / scientists / turned / found)

끊어 읽기 구문 학습으로 독해 실력 업그레이드

Study Date: /

C

다음과 같이 끊어진 표시에 유의하여 읽고, 문장을 우리말로 해석하시오.

1 T. Rex (Tyrannosaurus Rex) / was / one of the toughest / dinosaurs.

2 But / some scientists / now say / that / it / was / not the fastest.

3 The average speed of / the king of dinosaurs / was / only 24 km / per hour.

4 Today's fastest animal, / the cheetah, / can run / about 100 km / per hour.

5 Using computers, / they / then figure out / how the creature / moved.

6 They / also / used / the data / to calculate / the dinosaur's turning speed.

7 It / was found / that / it / took / the creature / about two seconds / to turn 45 degrees.

8 A human / can turn / in 0.05 seconds.

9 If / you / meet / a T. Rex, / don't worry / too much.

10 You / can just run away / making / short turns.

02 The Basics of Fossils

쉬운 독해를 위한 Vocabulary 업그레이드

A

다음 영어 표현을 읽고 뜻을 쓰시오.

1 study ____________

2 fossil ____________

3 remains ____________

4 ancient ____________

5 plant ____________

6 ground ____________

7 surface ____________

8 natural ____________

9 insect ____________

10 usually ____________

11 completely ____________

12 bury ____________

13 mineral ____________

14 piece ____________

15 mud ____________

16 turn into ____________

B

다음 주어진 표현을 배열하여 우리말을 영어로 쓰시오.

1 죽은 동물이 화석이 되는 데에 수백만 년이 걸린다.
(a dead animal / millions of years / for / to become / It / a fossil / takes)

2 토양의 박테리아는 작은 조각 하나까지 완전히 먹는다.
(completely / will / the little pieces / all / soil bacteria / eat)

3 화석은 대개 땅속이나 바위의 표면에서 발견된다.
(on the surface / or / fossils / under the ground / are / of a rock / usually / found)

4 암석 속의 광물은 죽은 동물을 화석으로 변화시킨다.
(the rock / the minerals / the dead animal / into / a fossil / change / in)

끊어 읽기 구문 학습으로 독해 실력 업그레이드

Study Date: /

C

다음과 같이 끊어진 표시에 유의하여 읽고, 문장을 우리말로 해석하시오.

1 Fossils / are / the remains / of ancient plants / or animals.

2 Usually / only the hard parts / of plants and animals / become / fossils.

3 Every animal / does not become / a fossil.

4 Most animals / that / die / in the natural world / will be eaten / by other animals / or insects.

5 In order to / become / a fossil, / something special / must happen.

6 When / a dead animal / is buried / in sand / or mud, / other animals / or bacteria / cannot eat / it.

7 Over millions of years, / the sand or mud / turns into / rock.

8 Fossils / usually come apart / under the ground.

9 So / scientists / have to work / hard / to put / them / back together.

10 They / study / fossils / to learn / about the creatures / that / lived / millions of years ago.

01 English with Foreign Origins

쉬운 독해를 위한 Vocabulary 업그레이드

A

다음 영어 표현을 읽고 뜻을 쓰시오.

1 foreign ____________

2 origin ____________

3 borrow ____________

4 mean ____________

5 shadow ____________

6 century ____________

7 necessary ____________

8 present ____________

9 include ____________

10 information ____________

11 come from ____________

12 different ____________

13 bomb ____________

14 military ____________

15 language ____________

16 type ____________

B

다음 주어진 표현을 배열하여 우리말을 영어로 쓰시오.

1 많은 영어 단어들은 다른 언어들로부터 차용한 것이다.
(English / words / from / other languages / many / are borrowed)

2 단어 'umbrella(우산)'는 이탈리아어에서 왔다. (from / is / the word / Italian / umbrella)

3 어떤 영어 단어들은 아랍어에서 왔다. (Arabic / English / came from / words / some)

4 그것은 사람들이 여러 가지 물건을 보관하는 장소를 뜻했다.
(different things / where / kept / people / it / a house / meant)

끊어 읽기 구문 학습으로 독해 실력 업그레이드

Study Date: /

C

다음과 같이 끊어진 표시에 유의하여 읽고, 문장을 우리말로 해석하시오.

1 The English language / has borrowed / many words / from other languages.

2 For example, / the word *umbrella* / has / an Italian origin.

3 The Italian word *ombrella* / meant / a little shadow.

4 When / the word / came into / English / in the 17th century, / it meant / a sunshade.

5 In England, / however, / protection from rain / was / more necessary / than a sunshade.

6 So / the word / took on / its / present meaning.

7 The word *magazine*, / for example, / came from / the Arabic word / *makhazin*.

8 When / English / took / the word / in the 16th century, / it / meant / a place / for bombs / or other military things.

9 In the 18th century, / people / started / to use / the word / to mean / a small book / with different types of information.

02 Idioms Have Rules

쉬운 독해를 위한 Vocabulary 업그레이드

A

다음 영어 표현을 읽고 뜻을 쓰시오.

1 idiom ______________
2 cruel ______________
3 combined ______________
4 definition ______________
5 often ______________
6 common ______________
7 actually ______________
8 seem ______________
9 fix ______________
10 grammatical ______________
11 structure ______________
12 expression ______________
13 replace ______________
14 similar ______________
15 phrase ______________
16 rule ______________

B

다음 주어진 표현을 배열하여 우리말을 영어로 쓰시오.

1 관용어구는 그 자체의 의미를 가지고 있는 단어의 집합이다.
(its own meaning / an idiom / a group of / is / words / has / which)

2 대부분의 관용어구들은 어법 구조들에 고정되어 있다.
(structures / idioms / most / grammatical / have fixed)

3 또한 관용어구에 어떤 단어가 첨가될 수도 없다. (a word / nor / be added / can / an idiom / to)

4 관용구어는 하나의 단어처럼 기능한다. (word / a / an idiom / single / like / works)

끊어 읽기 구문 학습으로 독해 실력 업그레이드

Study Date: ____ / ____

C

다음과 같이 끊어진 표시에 유의하여 읽고, 문장을 우리말로 해석하시오.

1 An idiom / is / a group of words, / and / means / something / different from / the combined definitions / of the words.

2 So, / understanding the meaning of an idiom / is / often not easy.

3 For example, / "break a leg" / is / a common idiom.

4 If / you / take / the meaning of each word / and / add / them together, / the idiom / seems / rather cruel.

5 But / it / actually means / "Good luck."

6 Most idioms / are fixed / in their grammatical structure.

7 "Her grandson is the apple of her eye," / means / "She likes / her grandson / very much."

8 "The apple of one's eye" / is / a common expression.

9 A part of an idiom / cannot be replaced / by a similar word.

01 She Lost Her Sight

쉬운 독해를 위한 Vocabulary 업그레이드

A

다음 영어 표현을 읽고 뜻을 쓰시오.

1	lose	________	9	court	________
2	sight	________	10	reply	________
3	suddenly	________	11	treat	________
4	blind	________	12	town	________
5	anymore	________	13	garden	________
6	medicine	________	14	thief	________
7	cure	________	15	sum	________
8	spend	________	16	promise	________

B

다음 주어진 표현을 배열하여 우리말을 영어로 쓰시오.

1 아주 먼 옛날, 인도의 작은 마을에 노부인이 살았습니다.
(in India / an old lady / lived / a long time ago / there / in a small town)

2 그는 그녀가 자신에게 많은 돈을 준다면 그녀를 치료해 주겠다고 말했습니다.
(a large sum / she / gave / would cure / her / if / of money / he / him)

3 그 의사는 노부인을 치료하기 위해 매일 그녀를 찾아왔습니다.
(the old lady / came / to treat / the doctor / ever day)

4 그는 노부인에게 좋은 약을 주었고 마침내 그녀는 치료되었습니다.
(he / the lady / she / finally / was / cured / gave / good medicine / and)

끊어 읽기 구문 학습으로 독해 실력 업그레이드

Study Date: ______ / ______

C

다음과 같이 끊어진 표시에 유의하여 읽고, 문장을 우리말로 해석하시오.

1 She / suddenly / became / blind.

2 Since / she / lost / her sight, / she / couldn't / go out / and / take care of / her little garden / anymore.

3 She / felt / sad / and / wanted / to see again.

4 The old lady / spent / a lot of money / on medicine.

5 She / was taken to / one doctor / after another. // Still / she / couldn't see.

6 She / promised / she / would give / him / the money / when / she / was cured.

7 Every day / he / took / something away from / the old lady's house.

8 He / first / took away / the boxes, / then the chairs, / and then / even the tables.

9 "Now," / said / the doctor, / "give / me / my money."

10 "I / won't," / replied / the lady. // So / the doctor / took / her / to court.

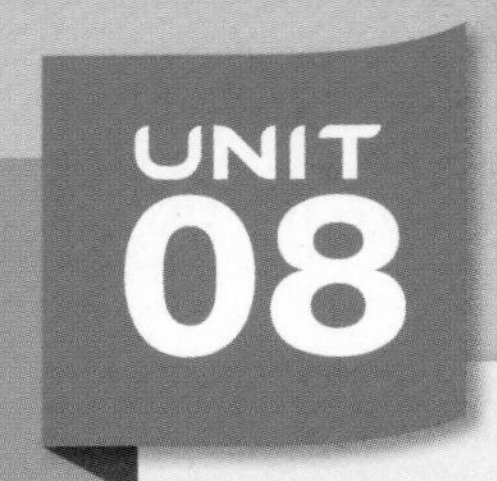

02 They Went to Court

쉬운 독해를 위한 Vocabulary 업그레이드

A

다음 영어 표현을 읽고 뜻을 쓰시오.

1 courtroom ____________

2 judge ____________

3 pay ____________

4 wall ____________

5 bare ____________

6 see ____________

7 smile ____________

8 hear ____________

9 unless ____________

10 furniture ____________

11 understand ____________

12 clearly ____________

13 quietly ____________

14 put back ____________

15 completely ____________

16 before ____________

B

다음 주어진 표현을 배열하여 우리말을 영어로 쓰시오.

1 Danbad라는 의사가 앞이 안 보이는 한 부인을 치료했다.
(a blind / Danbad / a doctor / treated / named / lady)

2 판사는 부인의 이야기를 듣고 상황을 이해했다.
(understood / heard / and / the judge / the situation / the lady's story)

3 판사는 의사가 부인의 집에서 물건들을 가져갔다는 것을 알았다.
(the lady's house / the judge / the doctor / knew / had taken / from / things)

4 의사는 그날 밤 부인의 물건들을 돌려줘야 했다.
(that / night / had to / things / return / the doctor / the lady's)

끊어 읽기 구문 학습으로 독해 실력 업그레이드

Study Date: ______ / ______

C

다음과 같이 끊어진 표시에 유의하여 읽고, 문장을 우리말로 해석하시오.

1 "The doctor / cured / you, / so / why / didn't / you / pay / him / any money?"

2 The old lady / told / the judge: / "I / told / the doctor / I / would pay / him / when / I / could see / well."

3 "Before / I / was / blind, / I / could / see / tables, / chairs, / and boxes / in my house."

4 "Now / I / can see / only bare walls. // So / I / am / not completely cured."

5 When / the judge / heard / the lady's story, / he / understood / and smiled.

6 "Dr. Danbad," / he / said, / "unless / you / can make / the lady / see / all her furniture / and other thing / in the house, / she / doesn't have to / pay / you / anything."

7 Danbad / said / to the judge: / "It / will take / just one more day."

8 "Tomorrow / the old lady / will see / clearly."

9 That night / the doctor / went / and quietly / put back / all the things / he / had taken / from the old lady's house.

01 Doodles Tell About You

쉬운 독해를 위한 Vocabulary 업그레이드

A

다음 영어 표현을 읽고 뜻을 쓰시오.

1 doodle ____________

2 arrow ____________

3 accurate ____________

4 inner ____________

5 personality ____________

6 sensitive ____________

7 square ____________

8 logical ____________

9 ladder ____________

10 ambitious ____________

11 current ____________

12 lack ____________

13 confidence ____________

14 mood ____________

15 shape ____________

16 affect ____________

B

다음 주어진 표현을 배열하여 우리말을 영어로 쓰시오.

1 사람들의 현재 기분은 그들의 낙서에 영향을 미친다.
(they / what / current / people's / doodle / mood / affects)

2 낙서들은 사람들의 내면세계를 보여준다. (inner / show / doodles / world / people's)

3 만약 당신이 삼각형이나 사각형을 그린다면 당신은 논리적인 사고방식을 가지고 있다.
(triangles or squares / you / if / of thinking / have / you / draw / a logical way)

4 야심 있는 사람들은 화살표나 사다리를 그린다.
(and / people / ladders / ambitious / draw / arrows)

끊어 읽기 구문 학습으로 독해 실력 업그레이드

Study Date: ____ / ____

C

다음과 같이 끊어진 표시에 유의하여 읽고, 문장을 우리말로 해석하시오.

1 Do you / ever doodle / or draw / something / without thinking?

2 Lots of people / do, / during a meeting / or in class.

3 Some people / believe / that these doodles / show / people's inner world.

4 According to / this idea, / the shapes / you draw / can show / your personality.

5 If / you / draw / flowers or plants, / you / are / sensitive, warm, / and kind.

6 Arrows and ladders / may show / that you are ambitious.

7 Funny faces / mean / a good sense of humor, / whereas / ugly faces / show / a lack of confidence.

8 Doodles / are / affected / not only / by people's personality / but also / by their present mood.

9 Therefore, / you / need to be careful / about their meanings.

10 If / you / know / a persons's current mood, / the meaning / of his or her doodles / will be more accurate.

02 Doodlers Are Listening, Too

쉬운 독해를 위한 Vocabulary 업그레이드

A

다음 영어 표현을 읽고 뜻을 쓰시오.

1 during ____________

2 pay attention ____________

3 boring ____________

4 participant ____________

5 study ____________

6 suggest ____________

7 otherwise ____________

8 researcher ____________

9 shape ____________

10 focus ____________

11 mention ____________

12 place ____________

13 divide ____________

14 remember ____________

15 daydream ____________

16 perhaps ____________

B

다음 주어진 표현을 배열하여 우리말을 영어로 쓰시오.

1 연구자들은 40명의 참가자들을 두 집단으로 나누었다.
(participants / divided / researches / into / forty / two groups)

2 낙서를 하지 않는 사람들은 6개 미만의 정보를 기억했다.
(6 pieces of / remembered / information / non-doodlers / fewer than)

3 사람들은 그들이 낙서를 하는 동안에 집중했다.
(while / are doodling / people / they / are paying attention)

4 낙서는 사람들이 공상을 하지 못하게 하고 집중하는 것을 돕는다.
(doodling / from daydreaming / and / keeps / helps / people / focus)

끊어 읽기 구문 학습으로 독해 실력 업그레이드

Study Date: ____ / ____

C

다음과 같이 끊어진 표시에 유의하여 읽고, 문장을 우리말로 해석하시오.

1 Someone / is doodling / during a meeting.

2 People / say / the person / is / not paying attention.

3 Is this really / the case? // A new study / suggests / otherwise.

4 They / asked / each group / to listen to / a short tape.

5 But / they / made / one group / draw some shapes / while listening.

6 On the tape, / a woman / made / a lot of small talk / about a birthday party.

7 She / also / talked about / eight people / who were coming to the party.

8 To the researchers' surprise, / the group / who doodled / remembered / the information / on the tape / better.

9 They / remembered / 7.5 pieces of information (out of 16) / on average.

10 The researchers / say: / perhaps / doodling / kept participants / from daydreaming.

11 It / also / helped them focus / as they listened to / boring information.

01 Garlic in the King's Soup

쉬운 독해를 위한 Vocabulary 업그레이드

A

다음 영어 표현을 읽고 뜻을 쓰시오.

1 scream ______________

2 king ______________

3 hate ______________

4 garlic ______________

5 everything ______________

6 except ______________

7 taste ______________

8 lunch ______________

9 angry ______________

10 hang ______________

11 royal ______________

12 cook ______________

13 in trouble ______________

14 false ______________

15 decide ______________

16 confuse ______________

B

다음 주어진 표현을 배열하여 우리말을 영어로 쓰시오.

1 그는 모든 것을 먹기를 좋아했는데 마늘은 아니었다.
(except / loved / he / everything / to eat / garlic)

2 왕은 매우 화가 났다 왜냐면 누군가가 그의 스프에 마늘을 넣었기 때문이다.
(in his soup / very angry / somebody / because / put / the king / got / garlic)

3 요리사들은 수수께끼를 내서 왕을 혼란스럽게 하기로 결정했다.
(by giving / the king / decided / the cooks / to confuse / a riddle)

4 그래서 각각의 요리사는 자신의 목에 표지판을 걸었다.
(his neck / a sign / had / each cook / hanging around / so)

끊어 읽기 구문 학습으로 독해 실력 업그레이드

Study Date: ______ / ______

C

다음과 같이 끊어진 표시에 유의하여 읽고, 문장을 우리말로 해석하시오.

1 Once upon a time, / there / was / a king / who hated garlic.

2 One day, / he / sat down / at his table / to eat / his lunch.

3 He / lifted / his spoon, / tasted his soup, / and / screamed, / "Who / put / garlic / in my soup?"

4 The king / got very angry, / and / he / called / for the three royal cooks: / Noodle Poodle, / Harry Berry / and Chilly Billy.

5 The cooks / knew / that / they / were in trouble.

6 Noodle Poodle: Chilly Billy / did not put / garlic / in the king's soup.

7 Harry Berry: I / put / garlic / in the king's soup.

8 Cilly Billy: I / put / garlic / in the king's soup.

9 The cooks / said / that / two signs / were / true, / and / that one sign / was / false.

10 Can / you / decide / who / put / garlic / in the king's soup?

UNIT 10

02 A Case at Sea

쉬운 독해를 위한 Vocabulary 업그레이드

A

다음 영어 표현을 읽고 뜻을 쓰시오.

1	case	________	9	dinner	________
2	Austrian	________	10	by mistake	________
3	sail	________	11	smoothly	________
4	inspect	________	12	seaman	________
5	prepare	________	13	reply	________
6	captain	________	14	correct	________
7	last	________	15	flag	________
8	answer	________	16	upside down	________

B

다음 주어진 표현을 배열하여 우리말을 영어로 쓰시오.

1 선장이 그 배를 점검할 때였다. (to inspect / it / was / the ship / the captain / for / time)

2 그는 손가락이 아파서 자기 반지를 빼두었다.
(his finger / took off / because / he / his ring / hurt)

3 요리사는 그가 주방에서 저녁 만찬을 준비해야 했다고 말했다.
(in the kitchen / the cook / prepare / had to / dinner / said / he)

4 선장은 선원이 도둑인 것을 확신했다.
(was sure / the seaman / the captain / the thief / was / that)

끊어 읽기 구문 학습으로 독해 실력 업그레이드

Study Date: /

C

다음과 같이 끊어진 표시에 유의하여 읽고, 문장을 우리말로 해석하시오.

1 An Austrian ship / was sailing / to an island.

2 He / left / it / on the table / next to his bed.

3 When / he / returned, / it / was missing.

4 The captain / thought of three people / who / probably took / his ring.

5 He / asked / each of them, / "Where / were / you / for the last / twenty minutes?"

6 The cook / answered, / "I / was / in the kitchen / and prepared / tonight's dinner."

7 Then / the engineer said, / "I / was working / in the engine room."

8 "I / had to / make sure / that / everything / was running / smoothly."

9 Finally, / the seaman / replied, / "I / was / at the front of / the ship."

10 "I / had to / correct / the flag / because / it / was / upside down / by mistake."

11 In an instant, / the captain / knew / the seaman / had taken / his ring.

01 How Much Land Does a Man Need?

쉬운 독해를 위한 Vocabulary 업그레이드

A

다음 영어 표현을 읽고 뜻을 쓰시오.

1 farmer ____________
2 set ____________
3 low ____________
4 price ____________
5 go off ____________
6 chief ____________
7 explain ____________
8 reach ____________
9 straight ____________
10 dig ____________
11 land ____________
12 starting point ____________
13 realize ____________
14 heel ____________
15 servant ____________
16 in a day ____________

B

다음 주어진 표현을 배열하여 우리말을 영어로 쓰시오.

1 그래서 그는 땅을 직접 보기 위해 길을 떠났다.
(the land / to see / for himself / so / went off / he)

2 당신이 하루에 걸어서 돌아볼 수 있는 땅이 당신의 것이 될 것입니다.
(is / you / walk around / can / in a day / the land / yours)

3 그의 하인은 무덤을 파서 그를 묻었다. (and / him / buried / dug / his servant / a grave)

4 머리에서 발끝까지의 6피트가 그가 필요로 한 전부였다.
(was / all he needed / six feet / his head / to / from / his heels)

끊어 읽기 구문 학습으로 독해 실력 업그레이드

Study Date: ____ / ____

C

다음과 같이 끊어진 표시에 유의하여 읽고, 문장을 우리말로 해석하시오.

1 Pahom / was / a farmer / who / always wanted to have / more land.

2 One day / he / heard / about the land / of the Bashkirs.

3 He / could buy / land / at a low price / there.

4 Early the next morning, / Pahom / started walking.

5 After / he / walked straight / for three miles, / he / turned left.

6 But / the land / on his right / looked / even better.

7 He / kept going, / trying to get / more land.

8 He / was / far from / the starting point.

9 Then / he / realized / the sun was setting.

10 He / tried to / run back. // He / ran / as fast as / he could.

11 Finally, / Pahom / reached / the starting point / just as the sun set, / but / fell dead.

02 Math for life

쉬운 독해를 위한 Vocabulary 업그레이드

A

다음 영어 표현을 읽고 뜻을 쓰시오.

1 mathematical ____________
2 daily life ____________
3 sadly ____________
4 important ____________
5 exception ____________
6 imagine ____________
7 circle ____________
8 right triangle ____________
9 shape ____________
10 in order to ____________
11 amount ____________
12 assume ____________
13 above ____________
14 area ____________
15 realize ____________
16 useful ____________

B

다음 주어진 표현을 배열하여 우리말을 영어로 쓰시오.

1 Pahom은 더 많은 땅을 얻기 위해 최선을 다했다.
(more / tried / land / Pahom / to get / his best)

2 하지만 그는 한 가지 중요한 수학적 사실을 알지 못했다.
(but / he / important / fact / didn't know / mathematical / one)

3 수학은 일상생활에 매우 유용할 수 있다. (in / everyday / useful / can be / math / life / very)

4 둘레가 60인 정사각형의 면적은 225이다.
(is 225 / the area / a perimeter / of 60 / of a square / with)

끊어 읽기 구문 학습으로 독해 실력 업그레이드

Study Date: ___ / ___

C

다음과 같이 끊어진 표시에 유의하여 읽고, 문장을 우리말로 해석하시오.

1 Imagine / that / you / can walk / 60 kilometers / in a day.

2 Also, / imagine / that / you / can walk / to make / a right triangle, / a square, / or a circle.

3 Which shape / do you / have to make / in order to get / the largest / amount of land? (Assume that / pi is 3.)

4 As / you / can see / from above, / all three shapes / have / the same perimeter / or circumference / — 60 kilometers.

5 In other words, / if / you / walk / along the edge / of each shape, / you / will have to walk / a total / of 60 kilometers.

6 But / the areas / are / different.

7 The circle / has / the largest area, / while / the triangle / has / the smallest area.

8 If / you / walk / 60 kilometers / in a circle, / you / can get / the largest / amount of land.

9 Many people / don't realize / that / math / is useful / in daily life.

10 Sadly, / Pahom / was / no exception.

UNIT 12

01 Using Earphones

쉬운 독해를 위한 Vocabulary 업그레이드

A

다음 영어 표현을 읽고 뜻을 쓰시오.

1 use ______________
2 forget ______________
3 subway ______________
4 fall asleep ______________
5 without ______________
6 earphone ______________
7 dangerous ______________
8 volume ______________
9 noise ______________
10 listen ______________
11 hurt ______________
12 high ______________
13 especially ______________
14 focus on ______________
15 favorite ______________
16 loudly ______________

B

다음 주어진 표현을 배열하여 우리말을 영어로 쓰시오.

1 오늘날 많은 젊은 사람들이 이어폰을 사용한다.
(earphones / lots of / young / today / use / people)

2 그들은 심지어 이어폰을 꽂은 채로 잠이 들기도 한다.
(fall asleep / their earphones / with / they / even / on)

3 하지만 높은 음량으로 음악을 틀어 놓으면 위험할 수 있다.
(at high volumes / they / however / can be / playing music / dangerous / when)

4 그들은 길거리에서 이어폰을 사용하는 것이 사고를 유발할 수 있다는 사실을 기억해야 한다.
(can cause / they / that / using earphones / should remember / on the street / accidents)

끊어 읽기 구문 학습으로 독해 실력 업그레이드

Study Date: ____ / ____

C

다음과 같이 끊어진 표시에 유의하여 읽고, 문장을 우리말로 해석하시오.

1 They / do so / on the street, / on the subway, / and on the bus.

2 They / can't live / without their earphones.

3 Earphones / are / not bad / in themselves.

4 Some teens / play music / too loudly / because / they / don't want to hear / other noises.

5 They / might listen to / loud music / for hours / ever day.

6 This / can hurt / their ears, / and they / may soon / have a problem / with their hearing.

7 Earphones / can be dangerous / in another way, too.

8 Using earphones / on the street / is / especially bad.

9 When / teens / are focusing on / their favorite music, / they / don't pay attention to / anything else.

10 They / forget / that the street / is full of / cars, bikes, motorbikes, and people.

UNIT 12

02 Ears for Hearing

쉬운 독해를 위한 Vocabulary 업그레이드

A

다음 영어 표현을 읽고 뜻을 쓰시오.

1	outer	______	9	vibration	______
2	stick	______	10	change	______
3	middle	______	11	reach	______
4	sound wave	______	12	tiny	______
5	go into	______	13	fluid	______
6	signal	______	14	brain	______
7	toward	______	15	hair	______
8	eardrum	______	16	travel	______

B

다음 주어진 표현을 배열하여 우리말을 영어로 쓰시오.

1 음파는 보이지 않지만, 공기를 통해 이동한다.
(but / cannot / travel through / sound waves / the air / they / be seen)

2 외이의 기능은 공기 중에서 음파를 모으는 것이다.
(the function / is collecting / of / from the air / the outer ear / sound waves)

3 음파는 내이에서 신호가 된다.
(become / the / sound waves / inner / a signal / ear / in)

4 작은 털들의 움직임은 진동을 신호로 바꾼다.
(a signal / changes / movement / into / of / the vibrations / little hairs)

끊어 읽기 구문 학습으로 독해 실력 업그레이드

Study Date: ______ / ______

C

다음과 같이 끊어진 표시에 유의하여 읽고, 문장을 우리말로 해석하시오.

1 There / are / three main parts / to the ears: / the outer ear, / the middle ear, / and the inner ear.

2 The outer ear / collects / these waves / from the air.

3 They / go into / the ear canal / and then / move on / toward the eardrum.

4 The sound waves / hit / the eardrum / just like / a stick / hitting a real drum.

5 The vibrations / from the eardrum / travel into / the middle ear.

6 When / the sound waves / reach / the tiny bones / in the middle ear, / they also / begin to vibrate.

7 This / helps / the sound waves / reach / the inner ear.

8 The inner ear / has fluid / and thousands of / little hairs.

9 The vibrations / make / the little hairs / move.

10 This / changes / the vibrations / into a signal. // This signal / is / then / sent to the brain.

UNIT 13

01 Our Solar System

쉬운 독해를 위한 Vocabulary 업그레이드

A

다음 영어 표현을 읽고 뜻을 쓰시오.

1 solar system ____________________

2 go around ____________________

3 burn ____________________

4 give off ____________________

5 sunlight ____________________

6 reflect ____________________

7 planet ____________________

8 mass ____________________

9 relate ____________________

10 close ____________________

11 life ____________________

12 Earth ____________________

13 Mercury ____________________

14 Neptune ____________________

15 lucky ____________________

16 far away from ____________________

B

다음 주어진 표현을 배열하여 우리말을 영어로 쓰시오.

1 행성은 빛을 방출하지 않지만, 항성으로부터 빛을 반사한다.
(from a star / a planet / it / give off light / reflects light / but / doesn't)

2 행성이 태양으로부터 멀리 있으면 그것은 차갑다.
(cold / it is / is / far from / a planet / if / the Sun)

3 지구는 태양에서 너무 가깝지도 않고 너무 멀지도 않다.
(the Sun / neither / nor / too close / too far from / the Earth / is)

4 그래서 지구에 식물들과 동물들이 살 수 있다.
(So / on the Earth / and / animals / plants / can live)

끊어 읽기 구문 학습으로 독해 실력 업그레이드

Study Date: ____ / ____

C

다음과 같이 끊어진 표시에 유의하여 읽고, 문장을 우리말로 해석하시오.

1 A star / is / a big body of hot, / burning gas. // It / gives off / light.

2 A planet, / on the other hand, / is / a body of mass / that / goes around / a star.

3 How / are / the Sun / and / the Earth / related?

4 The Sun / is / a star, / and / the Earth / is / a planet.

5 The Sun / has / eight planets: / Mercury, Venus, Earth, Mars, Jupiter, Saturn, Uranus, and Neptune.

6 Mercury / is / the closest to the Sun. // It / is / very hot, / and / nothing / can live on it.

7 On the other hand, / it / is / very cold / on Neptune / because / it / is / so far away / from the Sun.

8 We / are / lucky / to be / on the Earth.

9 The Sun / gives / us light, / and / it / gives us life, too.

10 Without sunlight, / no plant / can grow. // Without plants, no animal / can live, either.

UNIT 13

02 A Letter from the Moon

쉬운 독해를 위한 Vocabulary 업그레이드

A

다음 영어 표현을 읽고 뜻을 쓰시오.

1 happen ____________

2 land ____________

3 safely ____________

4 last forever ____________

5 spaceship ____________

6 beautiful ____________

7 destroy ____________

8 footprint ____________

9 meteor ____________

10 weigh ____________

11 afraid ____________

12 dangerous ____________

13 be covered with ____________

14 thick ____________

15 poisonous ____________

16 cloud ____________

B

다음 주어진 표현을 배열하여 우리말을 영어로 쓰시오.

1 우주선을 타고 여기까지 오는 데 5시간밖에 안 걸렸어요.
(here / to get / it / only / five hours / by spaceship / took)

2 이곳에서 지구 행성은 너무도 아름답게 보여요.
(so / from / up / here / the planet Earth / looks / beautiful)

3 조금 위험할 것 같아 저는 걱정이 돼요. (afraid / dangerous / I / will be / am / it / a little)

4 금성은 두껍고 독성이 있는 구름으로 덮여 있어요.
(thick / and / poisonous / Venus / is covered with / clouds)

끊어 읽기 구문 학습으로 독해 실력 업그레이드

Study Date: ____ / ____

C

다음과 같이 끊어진 표시에 유의하여 읽고, 문장을 우리말로 해석하시오.

1 We / landed / safely / on the Moon.

2 Guess what? // We / saw / the first footprints / on the Moon.

3 Neil Armstrong, / the first man / on the Moon, / left them / in 1969.

4 They / will last forever / because / there / is / no wind or rain / to destroy them.

5 I / guess / a meteor / might fall / on them, / though.

6 That / is / how / the Moon's big holes / were made.

7 I / hope / a meteor / doesn't land / on us!

8 Tomorrow / we / are going to visit / Venus.

9 It / is / hot / on Venus / because / it / is / so close / to the Sun.

10 I / hope / nothing bad / happens / to us. // I / will write / again soon.

11 On Earth / I / weigh / 36 kilograms. // Here / I / weigh / only 6 kilograms.

01 Colors Have Different Meanings

쉬운 독해를 위한 Vocabulary 업그레이드

A

다음 영어 표현을 읽고 뜻을 쓰시오.

1	scared	____________	9	occasion	____________
2	meaning	____________	10	sadness	____________
3	culture	____________	11	difference	____________
4	think	____________	12	victory	____________
5	carefully	____________	13	courage	____________
6	favorite	____________	14	ancient	____________
7	luck	____________	15	warrior	____________
8	celebrate	____________	16	chest	____________

B

다음 주어진 표현을 배열하여 우리말을 영어로 쓰시오.

1 그것은 사람들이 특별한 행사를 축하할 때 종종 사용된다.
(often / it / when / special / is / used / people / occassions / celebrate)

2 남아프리카 공화국 사람들은 가족 구성원이 죽었을 때 빨간색을 사용한다.
(South Africans / when / use / the color red / dies / a family member)

3 노란색은 문화적 차이를 보여주는 또 다른 색이다.
(cultural differences / another / yellow / shows / that / color / is)

4 몇몇 서구 국가들에서는 노란색이 용기 부족을 의미한다.
(a lack of / yellow / Western countries / in / some / means / courage)

끊어 읽기 구문 학습으로 독해 실력 업그레이드

Study Date: ___ / ___

C

다음과 같이 끊어진 표시에 유의하여 읽고, 문장을 우리말로 해석하시오.

1 Colors / have / different meanings / in different cultures.

2 So / before / you / use color, / think carefully.

3 Your favorite color / may be / one / that / people / from another culture / don't like.

4 Let's take / the color red, / for example.

5 In China, / it / means / good luck.

6 In South Africa, / however, / red / is / the color of sadness.

7 In Japan, / for example, / yellow / means courage.

8 Ancient warriors / in Japan / put / a yellow flower / on their chest / as a sign of courage.

9 If / you / say / someone / is / yellow, / you / mean / he or she / is / too cared / to do something.

02 Look Up at the Sky

쉬운 독해를 위한 Vocabulary 업그레이드

A

다음 영어 표현을 읽고 뜻을 쓰시오.

1 reach ____________
2 sky ____________
3 therefore ____________
4 rainbow ____________
5 hide ____________
6 naked eye ____________
7 pass through ____________
8 explain ____________
9 travel ____________
10 particle ____________
11 busy ____________
12 near ____________
13 direction ____________
14 remain ____________
15 lazy ____________
16 scatter ____________

B

다음 주어진 표현을 배열하여 우리말을 영어로 쓰시오.

1 하지만 무지개의 색깔들은 모두 그 빛 안에 숨어있다.
(are hidden / in the light / but / the colors / the rainbow / all / of)

2 우리가 이 모든 색깔들을 맨눈으로 볼 수는 없다.
(cannot / these colors / all / we / the naked eye / with / see)

3 파란 부분은 짧고 바쁜 파동으로 움직인다. (in short / the blue / part / waves / travels / busy)

4 태양에서 오는 빛은 공기 중의 기체나 입자들에 부딪치면 산란된다.
(the light / is scattered / it / from the Sun / when / in the air / hits / the gases and particles)

끊어 읽기 구문 학습으로 독해 실력 업그레이드

Study Date: ____ / ____

C

다음과 같이 끊어진 표시에 유의하여 읽고, 문장을 우리말로 해석하시오.

1 The sky / is / blue. // Have you ever / wondered / why?

2 The light / from the Sun / looks / white.

3 When / light / passes through / a prism, / however, / we / can see / all the beautiful colors.

4 Two things / explain / why / the sky / is blue. // First, / light / travels / in waves.

5 Other parts, / like the red, / travel / in long, / lazy waves.

6 Second, / the gases and particles / in the air / scatter / light.

7 When / the light / from the Sun / comes / near the Earth, / it / is scattered / in all directions.

8 The blue part / is scattered / more than / the other colors / because / it / travels / in shorter, smaller waves.

9 Therefore, / the blue part / remains / more / in the sky / while / the others / reach / the Earth.

10 This / is / why we can see / the color blue / in the sky.

01 Swiss Cheese Fondue

쉬운 독해를 위한 Vocabulary 업그레이드

A

다음 영어 표현을 읽고 뜻을 쓰시오.

1	dish	______	9	remaining	______
2	enjoy	______	10	promote	______
3	industry	______	11	extra	______
4	origin	______	12	tourist	______
5	certain	______	13	tongue	______
6	for a long time	______	14	melt	______
7	excellent	______	15	avoid	______
8	leftover	______	16	dip	______

B

다음 주어진 표현을 배열하여 우리말을 영어로 쓰시오.

1 퐁뒤는 스위스에서 남은 치즈를 소비하는 한 가지 방법이다.
(extra / in Switzerland / to consume / cheese / Fondue / is / one way)

2 관광객들은 퐁뒤를 매우 좋아했으며, 곧 이 요리는 전 세계적으로 인기가 많아졌다.
(around the world / tourists / and soon / loved / fondue / became popular / the dish)

3 긴 포크는 음식을 치즈소스에 담그는 데에 사용된다.
(to dip / is used / into / a long fork / the cheese sauce / food)

4 식탁 중앙에는 작은 버너 위에 냄비를 둔다.
(a small burner / put / a pot / in the middle of / over / the table)

끊어 읽기 구문 학습으로 독해 실력 업그레이드

Study Date: ______ / ______

C

다음과 같이 끊어진 표시에 유의하여 읽고, 문장을 우리말로 해석하시오.

1 Fondue / is / the most famous / Swiss cheese dish.

2 The name / came from / the French word / *fondre* / meaning "melt."

3 The origin of the dish / is / not certain, / but / for a long time / farmers / in Switzerland / have enjoyed / fondue.

4 For them, / fondue / is / an excellent way / to deal with / extra cheese / and leftover bread.

5 During the 1950s, / the cheese industry / in Switzerland / was having / a hard time. // So, / the dish / was promoted.

6 To enjoy fondue, / sit around / a table.

7 Pick up / a piece of bread / with a long fork / and dip it / into the melted cheese / in the pot.

8 Do not / touch the fork / with your tongue / or lips. // In addition, / avoid "double-dipping."

9 If / you / have taken / a bite of some bread, / do not dip / the remaining bread / into the cheese sauce / again.

02 A History of Cheese

쉬운 독해를 위한 Vocabulary 업그레이드

A

다음 영어 표현을 읽고 뜻을 쓰시오.

1	nobody	______	9	liquid	______
2	according to	______	10	solid	______
3	legend	______	11	separate	______
4	beyond	______	12	throughout	______
5	accidentally	______	13	record	______
6	store	______	14	enzyme	______
7	stomach	______	15	trade	______
8	traditional	______	16	in power	______

B

다음 주어진 표현을 배열하여 우리말을 영어로 쓰시오.

1 치즈는 긴 역사를 가지고 있다. (a / history / cheese / long / has)

2 첫 치즈는 우연하게 만들어졌다고 알려져 있다.
(was made / cheese / that / accidentally / believed / is / the first / it)

3 우유의 고체 부분은 치즈가 되었다. (the solid / became / part / the milk / cheese / of)

4 줄리어스 시저가 로마를 통치했을 때, 많은 종류의 치즈가 만들어졌다.
(when / were made / many kinds of / Julius Caesar / cheese / ruled / Rome)

끊어 읽기 구문 학습으로 독해 실력 업그레이드

Study Date: ______ / ______

C

다음과 같이 끊어진 표시에 유의하여 읽고, 문장을 우리말로 해석하시오.

1 People / have made / cheese / for thousands of years.

2 However, / nobody / knows / who made / the first cheese / and / how it was made.

3 According to legend, / the first cheese / was created / accidentally / when / milk / was stored / in an animal's stomach.

4 An enzyme / from the container / caused / the milk / to separate into / liquid and solids.

5 The solid part / of the milk / turned into / cheese.

6 Cheese / was made / throughout Europe / and / the Middle East / as early as / 7,000 years ago.

7 Ancient Sumerian / records / seem to describe cheese, / and / wall paintings / in ancient Egyptian tombs / show / how to make cheese.

8 By the time / of the Roman Empire, / cheese / was popular.

9 When / Julius Caesar / was / in power, / hundreds of kinds of cheese / were produced / and traded / across the Roman Empire / and beyond.

10 It / is / no wonder / perhaps / that today's / most traditional Italian pizza / has cheese on it.

UNIT 16

01-02 A Broken Promise

쉬운 독해를 위한 Vocabulary 업그레이드

A

다음 영어 표현을 읽고 뜻을 쓰시오.

1 break ______

2 secret ______

3 leave ______

4 as soon as ______

5 appreciate ______

6 kindness ______

7 stand ______

8 wonderful ______

9 invite ______

10 regret ______

11 arrive ______

12 palace ______

13 in a moment ______

14 feast ______

15 receive ______

16 bully ______

B

다음 주어진 표현을 배열하여 우리말을 영어로 쓰시오.

1 저는 정말로 지금 멋진 궁전으로 당신을 초대하고 싶습니다.
(really / now / a wonderful palace / would like to / I / you / invite / to)

2 그가 궁전에 도착했을 때, 그는 매우 놀랐다.
(he / very surprised / when / he / at the palace / was / arrived)

3 그가 상자를 열자마자, 그는 노인이 되었다.
(he / an old man / he / the box / as soon as / became / opened)

4 그는 노인이 되었고 그가 했던 것을 후회했다.
(what / an old man / and / he / became / he / regretted / had done)

끊어 읽기 구문 학습으로 독해 실력 업그레이드

Study Date: ______ / ______

C

다음과 같이 끊어진 표시에 유의하여 읽고, 문장을 우리말로 해석하시오.

1 Long, long ago, / some children / were playing / at the seaside / when / they / found / a turtle.

2 They / began / to bully / the turtle.

3 After a while, / a young man / came / and said / to them, / "Stop it!"

4 "I / really appreciate / your kindness." / the turtle said.

5 As soon as / the young man / got on the turtle's back, / he / was taken to / a secret palace / under the sea.

6 The palace / was / very beautiful. // The king of the turtles / had / a feast / for him.

7 He / received / a warm welcome there, / and / he / was very satisfied with / everything.

8 He / thought / there / was / no other place / nicer than / that one.

9 When / he / left, / the turtle / said, / "I / am going to / give / you / two boxes, / but / you / can / only open / one of the boxes."

10 "You / must not open / both. // Don't / forget!"

끊어 읽기 구문 학습으로 독해 실력 업그레이드

Study Date: /

11 "All right. / I / will open / only one," / the young man / promised.

12 A large crowd of turtles / said goodbye / to him / as he left.

13 When / he / got home, / he / opened / the bigger / of the two boxes.

14 To his surprise, / there / was / a great deal of gold / in the box.

15 "Heavens!" / he / said / loudly. // He / was / rich now.

16 He / thought, / "The other one / must also / be full of / money."

17 He / could not stand / not opening the box, / so / he / broke / his promise / and opened it.

18 His hair / turned white, / and / his face / was full of / wrinkles.

19 He / looked like / an old man / over eighty years old.

20 After that, / he / regretted / what he had done.

21 "Just because / I / broke / a simple promise...," / he / said, / but / it / was / too late.

UNIT 01

Pictures on the Wall

본문 미리보기 QUIZ 8쪽

1 여러 가지 색
2 메시지를

어휘 자신만만 QUIZ 9쪽

1 bright
2 ordinary

Reading 01 10쪽

1. b **2.** c **3.** d **4.** tradition, painted, fishermen, sea

해석 눈을 속여라

카몰리는 이탈리아에 있는 작은 어촌이다. 약 7천 명만이 그곳에 살고 있다. 그러나 여름에는 많은 사람들이 방문해서 매우 붐빈다. 그들은 마을 주변의 해변과 음식을 아주 좋아한다.

사진에 있는 높은 집들을 보라. 당신은 열린 창문들과 아름다운 발코니를 볼 것이다. 그러나 그것들은 진짜가 아니다. 그것들은 단지 그림일 뿐이다. 그 집들은 밝은 색깔과 재미있는 디자인으로 칠해져 있다. 이것은 트롱프뢰유인데, '눈속임'이라는 뜻이다.

이 전통은 오래전에 시작되었다. 왜 그것은 시작되었는가? 아마도 그것은 어부들이 바다에서 쉽게 자신들의 집을 볼 수 있게 해 주었을 것이다. 또는 그들은 단지 자신들의 집을 아름답게 보이게 하고 싶었을 것이다. 어떤 사람들은 그것이 아내들의 생각이었다고 말한다. 그들은 남편들이 고기 잡으러 나가 있는 동안 자신들의 집을 칠했다. 그들은 남편들이 집으로 돌아왔을 때, 놀라게 하고 싶었다.

해설

1 이탈리아 카몰리에 있는 그림이 그려진 집에 관한 글이다.

2 카몰리에 유명한 예술가들이 산다는 언급은 없다.

3 "The houses are painted in bright colors and interesting designs."(6행)에서 알 수 있다.

4 [해석] 카몰리에는 흥미로운 전통이 있다. 집들은 밝은 색깔과 재미있는 디자인으로 칠해져 있다. 이것은 트롱프뢰유라고 불린다. 이 전통은 아마도 어부들이 바다에서 자신들의 집을 쉽게 볼 수 있게 해 주었거나 그들의 집을 아름답게 보이게 했을 것이다.

Reading 02 12쪽

1. (1) a (2) c (3) b **2.** b **3.** a **4.** walls, messages, Americans, ordinary, beautiful

해석 여러 가지의 목적으로 그려진 벽화

오랫동안 사람들은 벽에 그리는 그림인 벽화를 그려왔다. 벽화는 항상 우리 역사의 한 부분이 되어 왔고, 사람들은 그것들을 여러 가지 목적으로 그려오고 있다.

어떤 벽화는 메시지를 주기 위해서 만들어진다. 1930년대에 많은 미국인들은 직업이 없었다. 특별한 정부 프로그램은 미국 전역에 벽화를 그리기 위해 수천 명의 예술가들에게 돈을 지급했다. 그 아름다운 벽화들은 미국인들에게 어려운 시기가 나아질 것이라는 희망을 주었다.

벽화는 평범한 장소에 아름다움을 더할 수 있다. 동피랑은 한국 통영에 있는 오래된 마을이다. 많은 집들은 보기에 흉했고 지방 정부는 그것을 허물기를 원했다. 그러나 2007년에 예술가들이 마을에 와서 벽에 아름다운 그림들을 그렸다. 그 마을은 곧 유명해져서 많은 사람들이 벽화를 보기 위해 방문했다. 지방 정부는 계획을 변경했다. 벽화가 그 마을을 구했다.

해설

1 단락 1은 벽화란 무엇인가?, 단락 2는 메시지를 주는 벽화, 단락 3은 아름다움을 더해주는 벽화를 설명하고 있다.

2 사람들은 동피랑에 있는 아름다운 벽화를 보기 위해 방문한다.

3 정부가 아름다운 벽화 때문에 유명해진 동피랑을 허물지 않기로 계획을 변경했다.

4 [해석] 벽화: 벽에 그려진 그림
목적 1. 그것은 사람들에게 메시지를 준다. → 미국에서, 1930년대에 그것들은 미국인들에게 희망을 주었다.
목적 2. 그것들은 평범한 장소에 아름다움을 더한다. → 한국에서, 그것들은 동피랑을 아름다운 곳으로 바꾸었다.

Reading Closer 14쪽

A Across ① purpose ② trick ③ easily ④ fishing ⑤ hope
Down ⑥ popular ⑦ expensive ⑧ real ⑨ bright ⑩ ugly

B 1. trick 2. expensive 3. save 4. government 5. crowded

[해석] 1. 조심하지 않으면 나쁜 사람들이 당신을 속일 수 있다. 2. 나는 값비싼 휴대폰을 살 충분한 돈이 없었다. 3. 그 구조대원은 물에 빠진 소년을 구할 수 있었다. 4. 새로운 환경 정책들이 정부에 의해 발표될 것이다. 5. 여름에 해변은 전국에서 온 사람들로 붐빈다.

C Murals, purposes, ordinary, popular, real

[해석] 벽화는 항상 인류 역사의 한 부분이었고 사람들은 여러 가지 목적으로 벽화를 그려왔다. 몇몇 벽화들은 사람들에게 특별한 메시지를 준다. 또한 벽화는 평범한 장소에 아름다움을 더할 수 있다. 동피랑을 예로 들면, 예술가들은 아름다운 벽화를 그렸고, 보기 싫은 마을은 유명한 관광지가 되었다. 카몰리는 다른 좋은 예이다. 이 어촌에 벽들은 방문객들에게 진짜처럼 보이는 재미있는 디자인으로 칠해져 있다.

실력 향상 WORKBOOK

Reading 01

2-3쪽

A

1. 속이다 2. 낚시, 어업 3. 마을
4. 붐비는 5. 방문하다 6. 아름다운
7. 밝은 8. 실제의 9. 생각
10. 그림 11. 전통 12. 아마도
13. 어부 14. 쉽게 15. 돌아오다
16. 놀라게 하다

B

1. They love the beach and the food around the village.
2. Look up at the tall houses in the pictures.
3. The houses are painted in bright colors and interesting designs.
4. They just wanted to make their houses look beautiful.

C

1. 카몰리는 이탈리아에 있는 작은 어촌이다.
2. 약 7천 명 만이 그곳에 살고 있다.
3. 그러나 여름에는 많은 사람들이 방문해서 매우 붐빈다.
4. 당신은 열린 창문들과 아름다운 발코니를 볼 것이다.
5. 그러나 그것들은 진짜가 아니다. 그것들은 단지 그림일 뿐이다.
6. 이것은 트롱프뢰유인데, '눈속임'이라는 뜻이다.
7. 이 전통은 오래전에 시작되었다. 왜 그것은 시작되었는가?
8. 아마도 그것은 어부들이 바다에서 쉽게 자신들의 집을 볼 수 있게 해 주었을 것이다.
9. 그들은 남편들이 고기 잡으러 나가 있는 동안 자신들의 집을 칠했다.
10. 그들은 남편들이 집으로 돌아왔을 때, 놀라게 하고 싶었다.

Reading 02

4-5쪽

A

1. 구하다 2. 여러 가지의, 다른 3. 목적
4. 그리다 5. 예술가 6. 역사
7. 인기 있는 8. 정부 9. 아름다운
10. 희망 11. 더하다 12. 보통의
13. 못생긴 14. 지방의 15. 허물다
16. 만들어 내다

B

1. Some murals are created to give messages.
2. In America, murals gave hope to Americans in 1930s.
3. A mural can add beauty to an ordinary place.
4. In Korea, murals changed Dongpirang into a beautiful place.

C

1. 오랫동안 사람들은 벽에 그리는 그림인 벽화를 그려왔다.
2. 벽화는 항상 우리 역사의 한 부분이 되어 왔고, 사람들은 그것들을 여러 가지 목적으로 그려오고 있다.
3. 1930년대에 많은 미국인들은 직업이 없었다.
4. 특별한 정부 프로그램은 미국 전역에 벽화를 그리기 위해 수천 명의 예술가들에게 돈을 지급했다.
5. 그 아름다운 벽화들은 미국인들에게 어려운 시기가 나아질 것이라는 희망을 주었다.
6. 많은 집들은 보기에 흉했고 지방 정부는 그것을 허물기를 원했다.
7. 그러나 2007년에 예술가들이 마을에 와서 벽에 아름다운 그림들을 그렸다.
8. 그 마을은 곧 유명해져서 많은 사람들이 벽화를 보기 위해 방문했다.
9. 벽화가 그 마을을 구했다.

UNIT 02 Busy Bees

본문 미리보기 QUIZ ······ 16쪽

1 여왕벌 2 춤을 춘다.

어휘 자신만만 QUIZ ······ 17쪽

1 protect 2 closely

Reading 01 18쪽

1. d **2.** b **3.** (1) T (2) F (3) F **4.** hive, fly, queen, bees

해석 Frank 삼촌의 새 벌집

Frank 삼촌은 양봉가이다. 그는 한 달 전에 한 통의 벌을 주문했고, 마침내 그것이 도착했다. 나는 지난 주말에 삼촌을 방문해서 어떻게 새로운 벌집을 시작하는지에 대해 배웠다.

Frank 삼촌과 나는 각각 망사로 된 헬멧을 썼다. 우리는 벌침으로부터 우리 자신들을 보호해야만 했다. Frank 삼촌은 종이 상자 안의 벌들에게 설탕물을 뿌렸다. 그것은 벌들의 날개를 끈적거리게 만들었고, 그래서 그들은 몇 분 동안 날 수 없었다. 그리고 그는 상자 안에서 여왕벌을 찾았다. 여왕벌은 벌집에서 중요하며, 다른 벌들은 그녀를 지키기 위해 공격할 것이다. 그는 조심스럽게 상자에서 여왕벌을 꺼내 나무로 만든 새 벌집에 놓아두었다. 다음으로, Frank 삼촌은 상자 안의 나머지 벌들을 새 벌집에 쏟아부었다. 그 날 그의 일은 끝났다. 곧 여왕벌은 알을 낳을 것이고, 그 벌집은 성장할 것이다.

해설

1 새로 주문한 벌들을 벌집에 넣어 새 벌집을 만드는 과정을 설명하는 글이다.

2 벌들이 몇 분 동안 날지 못했다고 했으므로 설탕물이 날개를 '끈적거리게' 만들었다고 짐작할 수 있다.

3 (2) 5~6행으로 보아, 종이 상자에 들어 있는 벌들에게 설탕물을 뿌렸다.
(3) 8~9행으로 보아, 종이 상자에 있던 여왕벌을 나무 상자에 옮겼다.

4 [해석] Frank 삼촌은 필자에게 새로운 벌집을 만드는 법을 보여 주었다. 그는 벌들에게 설탕물을 뿌려 날지 못하게 만들었다. 그런 다음 그는 여왕벌을 새 나무 벌집에 옮겼다. 마지막으로, 그는 다른 모든 벌들을 그 벌집에 넣었다.

Reading 02 20쪽

1. a **2.** c **3.** d **4.** 50–75, circle, left, right, Waggle, food, waggles, starting point

해석 왜 벌들은 춤을 출까?

왜 벌들은 춤을 출까? 자세히 살펴보면 여러분은 그들의 춤이 변하는 것을 발견할 것이다. 사실 춤은 그들의 언어이다. 그것은 매우 복잡하다. 일벌은 먹이를 찾아 밖으로 나간다. 일벌이 먹이를 발견하면, 그는 돌아와 두 가지 춤 중 하나를 춘다. 만약 먹이가 50~75미터 이내에 있다면, 그 벌은 '둥근' 춤을 춘다. 그것은 처음에는 왼쪽으로, 그 다음에는 다시 오른쪽으로 작은 원을 그린다. 벌은 이 패턴을 여러 번 반복한다.

먹이가 더 멀리 떨어져 있을 때, 벌은 '흔들기' 춤을 춘다. 우선, 벌은 몸의 끝부분을 흔들면서 먹이가 있는 쪽으로 향한다. 그런 후 다시 출발점으로 돌아와 흔들기 춤을 반복한다. 흔들기의 길이는 먹이가 얼마나 떨어져 있는지 보여 준다. 예를 들어, 벌이 4초 동안 흔들었다면, 먹이는 4,400미터 떨어진 곳에 있다.

해설

1 두 가지 종류의 춤을 통해 의사소통하는 벌들에 관해 소개하고 있다.

2 'round' dance와 'waggle' dance는 먹이가 얼마나 멀리 떨어져 있는지에 따라 구분된다.

3 a. 일벌은 두 종류의 춤을 춘다. b. 둥근 춤을 출 때 작은 원을 그린다. c. 'waggle' dance에서 벌은 몸의 끝부분(back end)을 흔든다.

4 [해석] 벌 춤의 두 가지 종류
둥근 춤
• 먹이가 50–75 이내의 거리에 있다.
• 왼쪽으로, 그리고 다음에는 오른쪽으로 작은 원을 그리며 움직인다.
흔들기 춤
• 먹이가 멀리 떨어져있다.
• 몸을 흔들며 먹이를 향해 나아가고, 그 다음 출발 지점으로 돌아온다.

Reading Closer 22쪽

A Across ① beekeeper ② round ③ attack ④ closely ⑤ hive

Down ⑥ return ⑦ protect ⑧ look ⑨ waggle ⑩ lay

B 1. attack 2. dump 3. protect 4. complex 5. repeat

[해석] 1. 그 적은 마을을 파괴하기 위해 공격할 것이다. 2. 바다에 쓰레기를 버리지 마세요. 3. 우리는 후손들을 위해 환경을 보호해야 한다. 4. 그 수학 문제는 너무 복잡해서 나는 풀 수 없었다. 5. 그 선생님은 학생들에게 자세히 듣고 그녀를 따라 하라고 요청했다.

C hive, sprays, lay, language, perform

[해석] Frank 삼촌은 벌에 관해서 많은 것을 알고 있다. 우선 그는 어떻게 안전하게 새 벌집을 시작하는지 안다. 그는 헬멧을 쓰고 벌들에게 설탕물을 뿌린다. 그는 여왕벌을 새 상자에 놓고 그녀가 그곳에서 알을 낳는 것을 돕는다. 또한 Frank 삼촌은 벌들의 춤 언어를 이해한다. 그는 벌들이 특별한 방식으로 먹이에 대해 서로 의사소통하는 것을 안다. 벌들이 먹이를 발견하면 그들은 먹이가 어디에 있는지 말하기 위해 다른 춤을 춘다.

실력 향상 WORKBOOK

Reading 01 6-7쪽

A

1. 공격하다	2. 보호하다	3. 뿌리다
4. 헬멧	5. 벌집	6. (알을) 낳다
7. 그물	8. 놓다	9. 끈적거리는
10. (곤충의) 침	11. 조심스럽게	12. 찾다
13. 도착하다	14. 주문하다	15. 배우다
16. 여왕		

B

1. Uncle Frank and I each wore a helmet with a net.
2. We had to protect ourselves from bee strings.
3. Then he looked for the queen bee in the box.
4. Uncle Frank moved the queen bee into a new wooden box.

C

1. Frank 삼촌은 양봉가이다.
2. 그는 한 달 전에 한 통의 벌을 주문했고, 마침내 그것이 도착했다.
3. 나는 지난 주말에 삼촌을 방문해서 어떻게 새로운 벌집을 시작하는지에 대해 배웠다.
4. Frank 삼촌은 종이 상자 안의 벌들에게 설탕물을 뿌렸다.
5. 그것은 벌들의 날개를 끈적거리게 만들었고, 그래서 그들은 몇 분 동안 날 수 없었다.
6. 여왕벌은 벌집에서 중요하며, 다른 벌들은 그녀를 지키기 위해 공격할 것이다.
7. 그는 조심스럽게 상자에서 여왕벌을 꺼내 나무로 만든 새 벌집에 놓아두었다.
8. 다음으로, Frank 삼촌은 상자 안의 나머지 벌들을 새 벌집에 쏟아부었다.
9. 그날 그의 일은 끝났다.
10. 곧 여왕벌은 알을 낳을 것이고, 그 벌집은 성장할 것이다.

Reading 02 8-9쪽

A

1. 자세히	2. 사실은	3. 언어
4. 복잡한	5. 춤	6. 수행하다
7. 이내에	8. 둥근	9. 몇몇의
10. …을 향하여	11. 더 멀리	12. 양식, 패턴
13. 반복하다	14. 길이	15. 원
16. 돌아오다		

B

1. Watch closely, and you will find that their dance changes.
2. In a round dance, the worker bee runs in small circles.
3. The worker bee does a waggle dance when the food is far away.
4. The length of the waggle shows how far away the food is.

C

1. 왜 벌들은 춤을 출까? 사실, 춤은 그들의 언어이다.
2. 그것은 매우 복잡하다. 일벌은 먹이를 찾아 밖으로 나간다.
3. 일벌이 먹이를 발견하면, 그는 돌아와 두 가지 춤 중 하나를 춘다.
4. 만약 먹이가 50~75미터 이내에 있다면, 그 벌은 '둥근' 춤을 춘다.
5. 그것은 처음에는 왼쪽으로, 그 다음에는 다시 오른쪽으로 작은 원을 그린다.
6. 벌은 이 패턴을 여러 번 반복한다.
7. 먹이가 더 멀리 떨어져 있을 때, 벌은 '흔들기' 춤을 춘다.
8. 우선, 벌은 몸의 끝부분을 흔들면서 먹이가 있는 쪽으로 향한다.
9. 그런 후 다시 출발점으로 돌아와 흔들기 춤을 반복한다.
10. 예를 들어, 벌이 4초 동안 흔들었다면, 먹이는 4,400미터 떨어진 곳에 있다.

UNIT 03 A Visit to Mexico

본문 미리보기 QUIZ ······ 24쪽

1 아즈텍 사람들　　2 촛불과 꽃

어휘 자신만만 QUIZ ······ 25쪽

1 located　　2 decorate

Reading 01　26쪽

1. (1) b (2) c (3) a　**2.** a　**3.** c
4. capital, largest, Aztecs, Spanish

해석 **멕시코의 수도**

멕시코시티는 멕시코의 수도이다. 이 도시는 멕시코 계곡에 위치해 있다. 이 도시는 해발 2,200미터 이상에 있으며, 높은 산과 화산들이 둘레에 있다. 이 도시는 면적이 1,485 평방킬로미터이다. 그것은 그 나라에서 가장 큰 도시이다. 이 도시는 또한 나라의 정치, 문화적 중심지이다. 약 9백만의 사람들이 그곳에 살고 있다.

이 도시는 원래 1325년에 아즈텍 사람들에 의해 건설되었다. 하지만 1519년에 멕시코를 지배하기 위해 대서양을 건너온 스페인 사람들에 의해 완전히 파괴되고 말았다. 이 도시는 1524년에 재건되어 멕시코시티라고 불리게 되었다.

멕시코는 스페인의 지배 아래에 있었다. 그것은 1821년에 독립을 되찾았다. 스페인은 멕시코에 엄청난 영향을 끼쳤다. 오늘날, 스페인어가 멕시코의 공용어이고, 대부분의 멕시코 사람들은 가톨릭 신자이다.

해설

1 (1) 멕시코시티에 대해 전반적으로 소개하고 있다.
(2) 멕시코시티의 역사적 변화를 설명하고 있다.
(3) 멕시코에 대한 스페인의 영향을 설명하고 있다.

2 스페인 정복자들이 대서양(the Atlantic Ocean)을 건너온 것이지, 멕시코시티가 대서양에 있는 것은 아니다.

3 rule은 '통치, 지배'라는 뜻으로, control과 바꿔 쓸 수 있다.

4 [해석] 안녕, 난 호세야. 나는 멕시코시티에 살아. 이곳은 멕시코의 수도야. 약 9백만의 사람들이 이곳에 살아. 이곳은 멕시코에서 가장 큰 도시야. 이 도시는 맨 처음 1325년 아즈텍 사람들에 의해 건설되었어. 하지만 1519년 스페인 사람들에 의해 파괴되었어. 이곳은 5년 후에 재건되어 지금의 이름을 가지게 되었어.

Reading 02　28쪽

1. d　**2.** c　**3.** c　**4.** November, tables, graves, skeletons, bread of the dead, dead family members

해석 **죽은 자의 날**

'죽은 자의 날'은 멕시코의 공휴일이다. 이 날은 11월 1일과 2일이다. 이 날은 죽은 가족 구성원을 기억하는 날이다. 이 날은 한국의 추석과 비슷하다.

가족들이 함께 모여 그들의 죽은 가족을 위해 기도를 한다. 그들은 그날 밤에 죽은 자들이 그들을 방문할 거라고 믿는다. 그래서 사람들은 집에 특별한 제단을 만들어 설탕 두개골과 꽃, 그리고 죽은 자들이 좋아했던 음식으로 장식한다. 한밤중에는 가족들이 무덤을 찾아간다. 그들은 무덤을 깨끗이 하고 꽃과 촛불로 장식한다. 그들은 죽은 가족에 관한 이야기를 나눈다.

많은 사람들은 해골처럼 변장하고 길거리에서 행진을 한다. 어떤 사람들은 '죽은 자의 빵'을 먹는다. 그 빵은 종종 두개골처럼 생겼고, 보통은 장난감 해골이 그 속에 숨겨져 있다. 그들은 그 장난감을 깨무는 사람에게 행운이 있을 거라고 믿는다.

해설

1 Day of the Dead가 어떤 날이고 무엇을 하는지 등을 소개하는 글이다.

2 사람들이 파티에 참석한다는 언급은 없다.

3 꽃과 음식으로 장식하는 것은 의미상 special tables이다.

4 [해석] 죽은 자의 날
언제인가?
• 11월 1-2일
무엇을 하는가?
• 집에 특별한 제단을 세운다
• 한밤중에 무덤을 방문한다
• 해골처럼 차려입는다
• '죽은 자의 빵'을 먹는다
어떤 날인가?
• 죽은 가족 구성원을 기억하는 날

Reading Closer

30쪽

A Across ① grave ② holiday ③ area ④ bite ⑤ skull

Down ② hide ⑥ volcano ⑦ capital ⑧ decorate ⑨ destroy

B 1. capital 2. bite 3. located 4. destroyed 5. official

[해석] 1. 파리는 프랑스의 수도다. 2. 작은 개는 어린아이를 물려고 했다. 3. 그 자동차 공장은 공항 가까이에 위치한다. 4. 그 도시는 적들에 의해 완전히 파괴되었다. 5. 태극기는 한국 국기의 공식 이름이다.

C Dead, visit, skulls, capital, population

[해석] 오늘 나는 멕시코 소년에 관한 애니메이션 영화「코코」를 보았다. 나는 '죽은 자의 날'이 멕시코 휴일이라는 것을 알게 되었다. 멕시코 사람들은 11월 1일과 2일에 죽은 자가 그들을 찾아온다고 믿었다. 그래서 그들은 집에 특별한 제단을 만들고 설탕으로 만든 두개골로 제단을 꾸민다. 많은 사람은 해골처럼 변장하고 거리를 행진한다. 나는 멕시코 문화에 관심이 생겼고, 멕시코의 수도인 멕시코시티를 방문하고 싶다. 그곳은 인구가 약 9백만 명인 큰 도시이다.

실력 향상 WORKBOOK

Reading 01

10–11쪽

A

1. 해수면	2. 화산	3. 제곱의, 평방의
4. 이루다, 달성하다	5. 대양, 바다	6. 독립
7. 공식적인	8. 원래	9. …에 위치하다
10. 최소한	11. 산	12. 짓다, 만들다
13. 파괴하다	14. 영향을 주다	15. 언어
16. 완전히		

B

1. It is the largest city in the country.
2. It is also the political and cultural center of the country.
3. The city was rebuilt and named Mexico City in 1524.
4. Spain has influenced Mexico greatly.

C

1. 멕시코시티는 멕시코의 수도이다. 이 도시는 멕시코 계곡에 위치해 있다.
2. 이 도시는 해발 2,200미터 이상에 있으며, 높은 산과 화산들이 둘레에 있다.
3. 이 도시는 면적이 1,485 평방킬로미터이다.
4. 약 9백만의 사람들이 그곳에 살고 있다.
5. 이 도시는 원래 1325년에 아즈텍 사람들에 의해 건설되었다.
6. 하지만 1519년에 멕시코를 지배하기 위해 대서양을 건너온 스페인 사람들에 의해 완전히 파괴되고 말았다.
7. 멕시코는 스페인의 지배 아래에 있었다.
8. 그것은 1821년에 독립을 되찾았다.
9. 오늘날, 스페인어가 멕시코의 공용어이고, 대부분의 멕시코 사람들은 가톨릭 신자이다.

Reading 02

12–13쪽

A

1. 죽은	2. 11월	3. 기억하다
4. 모이다	5. 꾸미다	6. 설탕
7. 가장 좋아하는	8. 양초	9. 두개골
10. 무덤	11. 변장을 하다	12. 행진하다
13. 빵	14. 물다	15. 행운
16. 한밤중		

B

1. The Day of the Dead is a Mexican holiday.
2. They clean graves and decorate them with flowers and candles.
3. They tell stories about dead family members.
4. Many people dress up as skeletons and parade through the streets.

C

1. '죽은 자의 날'은 멕시코의 공휴일이다. 이 날은 11월 1일과 2일이다.
2. 이 날은 죽은 가족 구성원을 기억하는 날이다.
3. 이 날은 한국의 추석과 비슷하다.
4. 가족들이 함께 모여 그들의 죽은 가족을 위해 기도를 한다.
5. 그들은 그날 밤에 죽은 자들이 그들을 방문할 거라고 믿는다.
6. 그래서 사람들은 집에 특별한 제단을 만들어 설탕 두개골과 꽃, 그리고 죽은 자들이 좋아했던 음식으로 장식한다.
7. 한밤중에는 가족들이 무덤을 찾아간다.
8. 어떤 사람들은 '죽은 자의 빵'을 먹는다.
9. 그 빵은 종종 두개골처럼 생겼고, 보통은 장난감 해골이 그 속에 숨겨져 있다.
10. 그들은 그 장난감을 깨무는 사람에게 행운이 있을 거라고 믿는다.

UNIT 04

Secrets of Trees

본문 미리보기 QUIZ
32쪽

1 결코 성장을 멈추지 않는다. 2 스스로를 보호하기

어휘 자신만만 QUIZ
33쪽

1 survive 2 conditions

Reading 01
34쪽

1. b **2.** c **3.** c **4.** new layers, growing, Hyperion, thick

해석 **나무는 언제 자라는 것을 멈출까?**

나무들은 언제 자라는 것을 멈출까? 정답은 나무들은 결코 자라는 것을 멈추지 않는다는 것이다. 나무들은 살아남기 위해 자라야 한다. 나무들은 손상을 치료할 수 없다. 단지 줄기 밖으로 새로운 층들을 더함으로써 스스로를 건강하게 유지한다. 사실, 만약 나무가 성장을 멈춘다면, 그 나무는 죽을 것이다. 열악한 상태에서조차도 나무들은 나이테를 만들 것이다. 하지만, 성장이 너무 느리므로 그 나이테는 서로 촘촘할 것이다.

캘리포니아의 해안 삼나무인 히페리온은 세계에서 가장 높은 나무로 알려져 있다. 그것은 115.9미터의 키다. 그것은 계속 자라고 있다. 세계에서 가장 큰 나무는 자이언트 세쿼이아인 제너럴 셔먼이다. 그 나무 또한 캘리포니아에 있다. 나무 줄기는 11.1미터 두께이다. 이 나무는 약 2,500년 정도 되었으며 또한 계속 자라고 있다고 추정된다. 가장 키가 크고, 가장 거대한 나무들조차도 계속 자라야 한다.

해설

1 이 글은 나무의 성장에 관해 설명하고 있다.

2 성장이 느리면 나이테가 조밀(close)하다고 했으므로, 성장이 빠르면 그 반대일 것이다.

3 2,500년이나 되었지만 여전히 자란다(is also still growing)고 했다.

4 [해석] 나무들의 성장
- 나무들은 새로운 층을 더함으로써 건강을 유지한다.
- 나무가 자라는 것을 멈춘다면, 그것은 죽을 것이다.

기록을 가진 나무들
- 가장 키가 큰 나무: 히페리온 / 115.9미터로 키가 크다
- 가장 큰 나무: 제네럴 셔먼 / 11.1미터로 두껍다

Reading 02
36쪽

1. c **2.** (1) chemical (2) insects **3.** eggs, insects **4.** talk, chemicals, insects, tasty, eggs

해석 **식물들은 대화할 수 있다**

식물들이 의사소통을 할까? 과학자들은 그렇다고 말한다. 식물들은 말로 하는 것이 아니라 화학 물질을 통해 대화한다. 식물들은 대부분 스스로를 보호하기 위해 대화한다. 어떤 동물이 나뭇잎을 먹기 시작할 때, 그 식물은 화학 물질을 내뿜는다. 다른 잎들은 화학 물질을 감지하고 난 다음, 잎을 맛없게 만드는 그들 스스로의 화학 물질을 생산한다. 심지어 근처의 식물들도 그 메시지를 받고는 그들의 맛을 바꾼다.

많은 벌레들은 식물의 잎에 알을 낳는다. 그들은 새끼들이 태어날 때 먹을 수 있는 먹이가 있기를 원한다. 식물들은 이것을 좋아하지 않는다. 하지만 그들은 손을 들어 올려 그 알들을 털어낼 수 없다. 그래도 몇몇 식물들은 매우 영리하다. 그들은 다른 벌레들을 유인하는 화학 물질을 공기 중에 방출한다. 그 화학 물질들은 무료 식사를 위한 광고와 같다. 그 곤충들이 날아와 알들이나 혹은 새로 태어난 벌레들을 먹어 치운다.

해설

1 이 글은 식물들이 벌레나 동물들로부터 자신을 보호하는 방법에 관해 소개하고 있다.

2 (1) 식물들은 다른 식물들에게 화학 물질을 통해 신호를 보낸다.
(2) 어떤 식물들은 다른 곤충들을 유인해서 잎을 갉아먹는 알과 유충을 제거한다.

3 "The insects ... eat up the eggs or the newly born insects."(11~12행)에서 알 수 있다.

4 [해석] 식물들은 대화를 할 수 있는데, 말이 아니라 화학 물질을 통해서 한다. 그들은 벌레들로부터 스스로를 보호하기 위해 말을 한다. 그들은 잎을 맛없게 만들기 위해서나, 다른 벌레의 알을 먹어치우는 곤충을 유인하기 위해 화학 물질을 방출한다.

Reading Closer
38쪽

A Across ① grow ② insect ③ layer ④ healthy ⑤ tasty

Down ① giant ⑥ repair ⑦ thick ⑧ damage ⑨ attract

B 1. meal 2. communicate 3. attract 4. insect
5. growth
[해석] 1. 가난한 나라의 몇몇 아이들은 하루에 오직 한 끼만 먹는다. 2. 몸짓 언어는 다른 사람들과 메시지를 전달하는 데 사용할 수 있다. 3. 전통 시장은 다른 나라에서 온 많은 관광객을 이끌었다. 4. 개미는 이솝우화의 이야기 중 하나에 나온 곤충이다. 5. 균형 잡힌 식사는 아이들의 건강한 성장에 매우 중요하다.

C survive, repair, layer, protect, chemicals
[해석] 나무는 2,000년 이상을 살아남을 수 있다. 사실 그들은 살아가기 위해서 계속 자란다. 그들이 공격받거나 손상을 입을 때, 그들은 손상을 치료할 수 없다. 그들은 오직 줄기 밖으로 새로운 층들을 더함으로써 자신을 건강하게 유지할 수 있다. 나무들은 또한 다른 방식으로도 스스로를 보호한다. 몇몇 나무는 가지의 높은 부분에 잎이 있어서 곤충들과 동물들이 쉽게 접근하지 못한다. 다른 나무들은 화학 물질을 방출해서 잎을 덜 맛있게 만든다.

실력 향상 WORKBOOK

Reading 01

14 – 15쪽

A

1. 자라다	2. 멈추다	3. 살아남다
4. 고치다	5. 손상	6. 건강한
7. 층	8. …의 밖으로	9. 줄기
10. 상태	11. 생산하다	12. 나이테
13. 키가 큰	14. 아직도	15. 거대한
16. 두꺼운		

B

1. The answer is that trees never stop growing.
2. Trees need to grow in order to survive.
3. If a tree stops growing, it will not survive.
4. Even in bad conditions, trees will produce growth rings.

C

1. 나무들은 언제 자라는 것을 멈출까?
2. 단지 줄기 밖으로 새로운 층들을 더함으로써 스스로를 건강하게 유지한다.
3. 사실, 만약 나무가 성장을 멈춘다면, 그 나무는 죽을 것이다.
4. 하지만, 성장이 너무 느리므로 그 나이테는 서로 촘촘할 것이다.
5. 캘리포니아의 해안 삼나무인 히페리온은 세계에서 가장 높은 나무로 알려져 있다.
6. 그것은 115.9미터의 키다. 그것은 계속 자라고 있다.
7. 세계에서 가장 큰 나무는 자이언트 세쿼이아인 제너럴 셔먼이다.
8. 그 나무 또한 캘리포니아에 있다. 나무 줄기는 11.1미터 두께이다.
9. 이 나무는 약 2,500년 정도 되었으며 또한 계속 자라고 있다고 추정된다.
10. 가장 키가 크고, 가장 거대한 나무들조차도 계속 자라야 한다.

Reading 02

16 – 17쪽

A

1. 식물	2. 의사소통하다	3. 과학자
4. …을 통해서	5. 화학 물질	6. 감지하다
7. 잎	8. 발산하다	9. 맛있는
10. 근처의	11. 곤충	12. 대부분
13. 방출하다	14. 무료의	15. 유인하다, 끌다
16. 털다		

B

1. Plants talk to protect themselves against insects.
2. Plants don't talk with words, but through chemicals.
3. Many insects lay their eggs on plant leaves.
4. The chemicals are like an ad for a free meal.

C

1. 식물들이 의사소통을 할까? 과학자들은 그렇다고 말한다.
2. 식물들은 대부분 스스로를 보호하기 위해 대화한다.
3. 어떤 동물이 나뭇잎을 먹기 시작할 때, 그 식물은 화학 물질을 내뿜는다.
4. 다른 잎들은 화학 물질을 감지하고 난 다음, 잎을 맛없게 만드는 그들 스스로의 화학 물질을 생산한다.
5. 심지어 근처의 식물들도 그 메시지를 받고는 그들의 맛을 바꾼다.
6. 그들은 새끼들이 태어날 때 먹을 수 있는 먹이가 있기를 원한다.
7. 하지만 그들은 손을 들어 올려 그 알들을 털어낼 수 없다.
8. 그래도 몇몇 식물들은 매우 영리하다.
9. 그들은 다른 벌레들을 유인하는 화학 물질을 공기 중에 방출한다.
10. 그 곤충들이 날아와 알들이나 혹은 새로 태어난 벌레들을 먹어 치운다.

China's First Emperor

본문 미리보기 QUIZ ·························· 40쪽

1 농부들　　2 6,400 km

어휘 자신만만 QUIZ ·························· 41쪽

1 amazing　　2 structure

Reading 01 42쪽

1. d　**2.** a　**3.** b　**4.** 1974, farmers, hairstyle, tomb, power, three

해석 지하 부대의 병사들

1974년 중국인들은 놀라운 발견을 했다. 몇 명의 농부가 밭에서 일을 하고 있었다. 그들은 단단한 것을 쳤다. 약 8,000명의 도기 병사 부대가 지표 5미터 아래에 묻혀 있었다. 병사들은 183-195 센티미터의 키로, 각자 고유한 머리 모양과 얼굴 표정을 지닌 다른 모습이었다.

부대는 진시황제가 죽은 후에 그를 보호하기 위해 고안되었다. 그 부대는 또한 그가 살아있는 동안 그의 권력을 과시하기 위해 만들어졌다. 진시황제는 중국의 여러 나라 사이에 벌어진 수백 년간의 전쟁을 종식시켰다. 부대와 무덤의 건축은 그가 통치자가 되었을 때 시작되었다.

관람객들은 세 곳의 특별 박물관에서 이 거대한 부대를 볼 수 있다. 어떤 때에는 도기 병사들이 전 세계로 순회 전시를 나서기도 한다. 과학자들은 아직도 많은 병사들이 발굴되기를 기다리고 있다고 믿고 있다.

해설

1 1974년에 발굴된 진시황제의 도기 병사 부대에 관한 글이다.

2 4~5행에 도기 병사들이 각각 다른 머리 모양과 표정을 하고 있다고 나와 있다.

3 "The construction of the army and tomb began when he became ruler."(9행)에 나와 있다.

4 [해석] 도기 병사들

발견 • 1974년에 • 밭에서 일하던 농부들에 의해서

특징 • 183 – 195cm의 키

• 각각은 고유한 머리 모양과 표정을 지니고 있음.

제작 • 진시황제에 의해

• 그의 무덤을 보호하고 그의 권력을 보여주기 위해

현재 상태 • 세 개의 특별 전시관에서 전시되고 있음

• 여전히 많은 병사들의 발굴되기를 기다리고 있음.

Reading 02 44쪽

1. b　**2.** c　**3.** a　**4.** from enemies, one long wall, hard work, largest structure

해석 만리장성

중국인들은 수천 년 전에 만리장성을 지었다. 그들은 자신의 나라를 적들로부터 지키고자 했다. 먼저 그들은 마을 주위에 작은 벽을 세웠다. 그 다음에 진시황제가 벽들을 연결하여 하나의 긴 벽을 쌓았다.

진시황제는 진 왕조의 첫 황제였다. 'Qin'이란 이름은 'Chin'과 비슷하게 들리며, 'China'라는 말은 이 이름에서 비롯되었다. 진시황제는 중국이 강력해지기를 희망했다. 하지만 만리장성을 쌓는 일은 고된 일이었다. 백만 명이 넘는 사람들이 장성을 쌓다가 죽었다. 그들의 사체가 장성 안에 묻혀 있어서, 어떤 사람들은 만리장성을 '죽음의 장벽'이라고 부른다.

만리장성은 오늘날 세계에서 가장 큰 건축물이다. 그것은 길이 약 6,400 킬로미터, 높이 7.6 미터, 상층부 넓이가 약 4.6 미터이다. 우리는 만리장성이 정확히 얼마나 긴지 알지 못한다. 장성에는 많은 다른 부분들이 있으며, 어떤 부분들은 무너졌다.

해설

1 만리장성의 건축 시기, 규모 등에 관한 정보를 제공하고 있다.

2 '장성을 쌓는 일이 고된 일이었다.'라는 문장 뒤에 이어지는 것이 자연스럽다. (C) 뒤의 Their가 가리키는 것이 바로 주어진 문장의 Over one million people이다.

3 성을 쌓던 사람들의 사체가 묻혀 있다고 했으므로 '죽음의 장벽'이라는 표현이 알맞다.

4 [해석] 만리장성은 수천 년 전에 중국을 적들로부터 보호하기 위해 지어졌다. 진 왕조 최초의 황제인 진시황제는 작은 성벽들을 연결하여 하나의 장성을 만들었다. 장성을 쌓는 일은 고된 일이었다. 그것은 세계에서 가장 큰 건축물이지만, 아무도 정확한 크기를 알지는 못한다.

Reading Closer 46쪽

A Across ① emperor ② state ③ structure ④ field

Down ⑤ bury ⑥ beneath ⑦ build ⑧ museum ⑨ enemy

B 1. enemy 2. emperor 3. structure 4. soldier 5. create

[해석] 1. 언론이 그를 아주 많이 비난해서 그는 그것을 적으로 간주한다. 2. 고대 로마인들은 그들 황제의 사진을 동전에 넣었다. 3. 새 건물은 높이가 200 미터가 넘는 건축물이다. 4. 그 남자는 내전에서 군인으로서 싸웠고 22살의 나이로 죽었다. 5. 예술가들과 작가들은 사람들에게 호소력 있는 작품을 창작하려고 노력한다.

C first, built, largest, tomb, farmers

[해석] 진시황제는 중국을 통일한 진 왕조의 첫 번째 황제이다. 그는 적들로부터 그의 나라를 지키기 위해서 중국의 만리장성을 지었다. 이것은 오늘날 세계에서 가장 큰 건축물이다. 진시황제는 그의 사람들에게 수천 개의 도기 병사를 만들고 그것들을 큰 무덤에 묻으라고 명령했다. 그 병사들은 황제가 죽은 후 그를 보호하기 위해 고안되었다. 그 도기 병사들은 1974년 중국 농부들에 의해 발견되었다.

실력 향상 WORKBOOK

Reading 01

18-19쪽

A

1. 놀라운	2. 발견	3. 병사
4. 묻다	5. 군대	6. 밭
7. 박물관	8. 치다, 부딪치다	9. 통치자
10. 나라, 주	11. 지하의	12. 무덤
13. 건설	14. 황제	15. 아래에
16. 싸움		

B

1. In 1974, the Chinese made an amazing discovery.
2. The army was created to show his power during his lifetime.
3. Terra-cotta soldiers are exhibited in three museums.
4. Each has its own hairstyle and facial expression.

C

1. 몇 명의 농부가 밭에서 일을 하고 있었다.
2. 그들은 단단한 것을 쳤다.
3. 약 8,000명의 도기 병사 부대가 지표 5미터 아래에 묻혀 있었다.
4. 병사들은 183-195 센티미터의 키로, 각자 고유한 머리 모양과 얼굴 표정을 지닌 다른 모습이었다.
5. 부대는 진시황제가 죽은 후에 그를 보호하기 위해 고안되었다.
6. 진시황제는 중국의 여러 나라 사이에 벌어진 수백 년간의 전쟁을 종식시켰다.
7. 부대와 무덤의 건축은 그가 통치자가 되었을 때 시작되었다.
8. 관람객들은 세 곳의 특별 박물관에서 이 거대한 부대를 볼 수 있다.
9. 어떤 때에는 도기 병사들이 전 세계로 순회 전시를 나서기도 한다.
10. 과학자들은 아직도 많은 병사들이 발굴되기를 기다리고 있다고 믿고 있다.

Reading 02

20-21쪽

A

1. (건물을) 짓다	2. 연결하다	3. 왕조
4. 적	5. 시체, 몸	6. 건축물
7. 정확히	8. 대략, 약	9. 강한
10. 황제	11. 수천의	12. 무너지다
13. 정확히	14. …라 부르다	15. …에서 비롯되다
16. …처럼 들리다		

B

1. They wanted to protect their country from enemies.
2. Over one million people died building the wall.
3. The Great Wall is the largest structure in the world today.
4. We don't know exactly how long the Great Wall is.

C

1. 중국인들은 수천 년 전에 만리장성을 지었다.
2. 먼저 그들은 마을 주위에 작은 벽을 세웠다.
3. 그 다음에 진시황제가 벽들을 연결하여 하나의 긴 벽을 쌓았다.
4. 진시황제는 진 왕조의 첫 황제였다.
5. 'Qin'이란 이름은 'Chin'과 비슷하게 들리며, 'China'라는 말은 이 이름에서 비롯되었다.
6. 진시황제는 중국이 강력해지기를 희망했다.
7. 하지만 만리장성을 쌓는 일은 고된 일이었다.
8. 그들의 사체가 장성 안에 묻혀 있어서, 어떤 사람들은 만리장성을 '죽음의 장벽'이라고 부른다.
9. 그것은 길이 약 6,400 킬로미터, 높이 7.6 미터, 상층부 넓이가 약 4.6 미터이다.
10. 장성에는 많은 다른 부분들이 있으며, 어떤 부분들은 무너졌다.

Millions of Years Ago

본문 미리보기 QUIZ ····· 48쪽

1 24km 2 진흙에

어휘 자신만만 QUIZ ····· 49쪽

1 toughest 2 remains

Reading 01 50쪽

1. a **2.** b **3.** d **4.** data, fossils, slower, speed, slowly

해석 **T. Rex를 무서워하지 마세요**

T. Rex(티라노사우르스 렉스)는 가장 강한 공룡 중의 하나였다. 그러나 오늘날 일부 과학자들은 T. Rex가 가장 빠른 공룡은 아니었다고 말한다. 이 공룡의 제왕은 평균 시속 24 킬로미터에 불과했다. 오늘날 가장 빠른 동물인 치타는 시속 100 킬로미터 정도로 달릴 수 있다. 세계에서 가장 빠른 인간인 Usain Bolt는 2008년 올림픽의 100m 육상 경기에서 시속 37 킬로미터로 뛰었다.

과학자들은 T. Rex의 속도를 측정하기 위해서 공룡 화석에서 얻은 자료를 사용했다. 그들은 컴퓨터를 사용해서 이 생물체가 어떻게 움직였는지를 알아냈다. 그들은 그 공룡(T. Rex)의 회전 속도를 계산하기 위해서도 그 자료를 이용했다. 그 생물체(T. Rex)는 45도를 도는 데 약 2초가 걸렸다는 것이 밝혀졌다. 사람은 0.05초 안에 그만큼 돌 수 있다. 만약 여러분이 T. Rex를 만난다면 별로 걱정할 것 없다. 여러분은 그저 빠르게 방향을 바꾸면서 도망가면 된다.

해설

1 T. Rex의 속도가 별로 빠르지 않고 회전 속도가 사람에 비해 월등히 느리다는 것을 이야기하고 있다.

2 ⓑ Today's fastest animal은 바로 뒤에 나오는 the cheetah와 동격이다.

3 T. Rex가 45도를 돌기 위해서는 약 2초가 걸린다고 했다. 따라서 360도를 도는 데에는 16초(2초×8)가 필요하다.

4 [해석] 과학자들은 공룡 화석으로부터의 자료를 활용하여 T. Rex의 속도를 측정했다. T. Rex는 치타나 가장 빠른 사람보다 느렸다. 과학자들은 또한 T. Rex의 회전 속도를 계산했다. 그들은 T. Rex가 매우 느리게 회전했다는 것을 발견했다.

Reading 02 52쪽

1. c **2.** ground, rock **3.** d **4.** sand, mud, rock, minerals

해석 **화석의 원리**

화석은 고대 식물이나 동물의 유해이다. 그것들은 땅속이나 바위의 표면에서 발견된다. 대개는 식물과 동물의 단단한 부분만이 화석이 된다. 모든 동물이 화석이 되는 것은 아니다.

자연계에서 죽는 대부분의 동물은 다른 동물이나 곤충에게 먹힐 것이다. 토양의 박테리아는 작은 조각 하나까지 완전히 먹는다. 화석이 되기 위해서는 특별한 일이 일어나야 한다. 죽은 동물이 모래나 진흙 속에 묻히면, 다른 동물이나 박테리아가 그것을 먹을 수 없다. 수백만 년이 지나는 동안, 모래나 진흙은 암석으로 변한다. 암석 속의 광물은 죽은 동물을 화석으로 변화시킨다.

화석은 대개 땅속에서 조각조각 나뉜다. 그래서 과학자들은 이들을 다시 맞추기 위해 열심히 노력해야 한다. 그들은 수백만 년 전에 살았던 생물에 대해 알아내기 위해 화석을 연구한다.

해설

1 이 글은 주로 화석의 형성 과정에 대해 이야기하고 있다.

2 1~2행(They are found ... a rock.)에서 알 수 있다.

3 6~7행으로 보아, soil bacteria는 죽은 동물을 완전히 먹어 없애는 역할을 한다.

4 [해석] 동물이 죽는다. → 죽은 동물은 모래나 진흙에 묻힌다. → 모래나 진흙은 암석으로 변한다. → 암석의 광물이 죽은 동물을 화석으로 변화시킨다.

Reading Closer 54쪽

A Across ① fossil ② study ③ figure ④ ancient ⑤ measure

Down ② surface ⑥ sand ⑦ average ⑧ tough ⑨ speed

B 1. average 2. bury 3. natural 4. mineral 5. mud

[해석] 1. 우리 팀 선수들의 평균 나이는 25세이다. 2. 그 도둑은 나무 아래에 보물을 묻으려고 했다. 3. 홍수와 지진은 자연재해의 예이다. 4. 철은 세포를 만드는 것을 돕기 때문에 필수 미네랄이다. 5. 그 차는 진흙에 박혔고 운전자는 절망감을 느꼈다.

C ancient, surface, creatures, dinosaur, calculate

[해석] 화석은 고대에 살았던 식물과 동물의 잔해이다. 대개 식물과 동물의 단단한 부분만이 화석이 된다. 그것들은 깊은 땅속이나 지구의 표면 근처에서 발견된다. 과학자들은 오래전 생물에 대해 알아내기 위해 연구한다. 예를 들어서 그들은 T. Rex의 속도를 측정하기 위해서 공룡 화석으로부터의 자료를 이용할 수 있다. 그들은 또한 어떻게 그것이 움직였는지 알아낼 수 있고 얼마나 빠르게 회전했는지 계산할 수 있다.

실력 향상 WORKBOOK

Reading 01

22-23쪽

A

1. 강한
2. 공룡
3. 빠른
4. 평균의
5. 속도
6. 알아내다
7. 자료
8. 화석
9. 생물, 동물
10. 계산하다
11. 측정하다
12. (각도의 단위) 도
13. 걱정하다
14. 과학자
15. (시간 단위) 초
16. 도망치다

B

1. Scientists used data from dinosaur fossils to measure the speed of T. Rex.
2. T. Rex was slower than cheetahs and the fastest human.
3. The scientists also calculated the dinosaur's turning speed.
4. Scientists found that T. Rex turned very slowly.

C

1. T. Rex(티라노사우르스 렉스)는 가장 강한 공룡 중의 하나였다.
2. 그러나 오늘날 일부 과학자들은 T. Rex가 가장 빠른 공룡은 아니었다고 말한다.
3. 이 공룡의 제왕은 평균 시속 24 킬로미터에 불과했다.
4. 오늘날 가장 빠른 동물인 치타는 시속 100 킬로미터 정도로 달릴 수 있다.
5. 그들은 컴퓨터를 사용해서 이 생물체가 어떻게 움직였는지를 알아냈다.
6. 그들은 그 공룡(T. Rex)의 회전 속도를 계산하기 위해서도 그 자료를 이용했다.
7. 그 생물체(T. Rex)는 45도를 도는 데 약 2초가 걸렸다는 것이 밝혀졌다.
8. 사람은 0.05초 안에 돌 수 있다.
9. 만약 여러분이 T. Rex를 만난다면 별로 걱정할 것 없다.
10. 여러분은 그저 빠르게 방향을 바꾸면서 도망가면 된다.

Reading 02

24-25쪽

A

1. 연구하다
2. 화석
3. 유해, 유적
4. 고대의
5. 식물
6. 땅
7. 표면
8. 자연의
9. 곤충
10. 보통, 대개
11. 완전히
12. 묻다
13. 광물질, 미네랄
14. 조각
15. 진흙
16. …이 되다

B

1. It takes millions of years for a dead animal to become a fossil.
2. Soil bacteria will completely eat all the little pieces.
3. Fossils are usually found under the ground or on the surface of a rock.
4. The minerals in the rock change the dead animal into a fossil.

C

1. 화석은 고대 식물이나 동물의 유해이다.
2. 대개는 식물과 동물의 단단한 부분만이 화석이 된다.
3. 모든 동물이 화석이 되는 것은 아니다.
4. 자연계에서 죽는 대부분의 동물은 다른 동물이나 곤충에게 먹힐 것이다.
5. 화석이 되기 위해서는 특별한 일이 일어나야 한다.
6. 죽은 동물이 모래나 진흙 속에 묻히면, 다른 동물이나 박테리아가 그것을 먹을 수 없다.
7. 수백만 년이 지나는 동안, 모래나 진흙은 암석으로 변한다.
8. 화석은 대개 땅속에서 조각조각 나뉜다.
9. 그래서 과학자들은 이들을 다시 맞추기 위해 열심히 노력해야 한다.
10. 그들은 수백만 년 전에 살았던 생물에 대해 알아내기 위해 화석을 연구한다.

The Richness of English

본문 미리보기 QUIZ ········ 56쪽

1 아랍어 2 행운을 빈다

어휘 자신만만 QUIZ ········ 57쪽

1 borrowed 2 fixed

Reading 01 58쪽

1. c **2.** b **3.** d **4.** languages, umbrella, sunshade, Arabic

해석 **외국 어원을 가진 영어**

영어는 다른 언어들로부터 많은 단어를 차용해 왔다. 예를 들어 'umbrella(우산)'는 이탈리아 어원이다. 이탈리아어 'ombrella'는 작은 그늘을 뜻했다. 그 단어가 17세기에 영어로 도입되었을 때, 그것은 햇빛 가리개를 뜻했다. 하지만 영국에서는 햇빛 가리개보다는 비로부터의 보호가 더 필요했다. 그래서 그 낱말은 오늘날의 뜻을 지니게 되었다. 이탈리아 어원을 지닌 다른 단어들로는 'piano(피아노), opera(오페라), traffic(교통), studio(스튜디오)'가 있다.

어떤 영어 단어들은 아랍어에서 왔다. 예를 들어 'magazine(잡지)'은 아랍어 'makhazin'에서 왔다. 그것은 사람들이 여러 가지 물건을 보관하는 장소를 뜻했다. 16세기에 영어가 이 단어를 취하면서 그것은 폭탄이나 다른 군수 물자들을 위한 장소를 뜻하게 되었다. 18세기에 사람들은 그 낱말을 여러 다른 종류의 정보가 담긴 작은 책을 뜻하는 데 사용했다. 'sofa(소파), jumper(점퍼), giraffe(기린)' 같은 단어들도 또한 아랍어에서 왔다.

해설

1 첫 번째 문장이 이 글의 주제문이다.

2 a는 원래 아랍어의 의미, c는 18세기부터 현재까지의 의미이다. e는 jumper의 뜻이다.

3 jumper, sofa, magazine, giraffe는 아랍어, traffic은 이탈리아어에서 왔다.

4 [해석] 많은 영어 단어들은 다른 언어에서 차용한 것이다. 예를 들어 'umbrella(우산)'는 이탈리아어에서 왔다. 그것이 영어에 들어왔을 때 그것은 햇빛 가리개를 뜻했고, 오랜 시간에 걸쳐 의미가 변했다. 'piano(피아노), opera(오페라), traffic(교통)'도 이탈리아어에서 왔다. 어떤 단어들은 아랍어에서 빌려 왔다. 'magazine(잡지), sofa(소파), giraffe(기린)'이 그 예이다.

Reading 02 60쪽

1. (1) group (2) grammatical (3) single **2.** d
3. c **4.** fixed, the, word, words

해석 **관용어구에는 규칙이 있다**

관용어구는 단어들의 집합으로, 단어들의 결합된 정의와는 다른 무언가를 의미한다. 그러므로 관용어구의 의미를 이해하는 것은 종종 쉽지 않다. 예를 들어, 'break a leg'는 흔한 관용어구이다. 각 단어들의 뜻을 취해 그것들을 모아 놓으면, 이 관용어구는 상당히 잔인하게 보인다. 하지만 실제로 그것은 '행운을 빌어.'라는 뜻이다.

대부분의 관용어구들은 어법 구조에 고정되어 있다. "그녀의 손자는 'the apple of her eye(눈에 넣어도 아프지 않다)'이다."라는 말은 '그녀는 손자를 무척 좋아한다.'는 뜻이다. 'The apple of one's eye'는 흔한 표현이다. 하지만 아무도 'an apple of one's eye'로나 'apples of one's eye'로 말하지 않는다.

한 가지 더 있다. 관용어구의 일부가 비슷한 단어로 대체될 수 없다. 또한 관용어구에 어떤 단어가 첨가될 수도 없다. 'Eat one's words(먼저 한 말을 취소하다)'는 일반적인 관용어구이지만, 'eat easily one's words' 또는 'eat one's phrases'는 전혀 말이 되지 않는다. 관용어구는 하나의 단어처럼 기능한다.

해설

1 단락 1은 관용어구의 정의, 단락 2와 3은 관용어구의 특징에 관한 것이다.

2 Nor는 부정문 뒤에 이어지는 접속사이다.

3 대부분의 관용어구들은 어법 구조에 고정되어 있다.

4 [해석] 관용어구
정의: 단어들의 정의로부터 추측할 수 없는 뜻을 지닌 단어들의 집합
특징 1: 대부분의 관용어구는 고정된 어법 구조를 가지고 있다.
특징 2: 관용어구의 일부를 비슷한 말이 대체할 수 없고 단어가 첨가될 수 없다.

Reading Closer 62쪽

A Across ① include ② origin ③ common ④ apple
Down ⑤ combine ⑥ replace ⑦ century ⑧ borrow ⑨ similar

B 1. military 2. necessary 3. common 4. bomb 5. single

[해석] 1. 스페인은 16세기에 강력한 군사력을 가졌다. 2. 당신이 직업을 원한다면, 당신은 그것에 필요한 기술을 가져야 한다. 3. Smith는 미국에서 매우 흔한 성이다. 4. 테러범들은 기차역 근처에 작은 폭탄을 심었다. 5. 그가 어려운 질문을 했을 때 단 한 명의 학생도 대답하지 않았다.

C includes, origin, fixed, definition, replace

[해석] 영어는 흥미롭다. 먼저, 다른 언어에서 온 많은 단어가 포함되어 있다. 예를 들어 'piano'는 이탈리아어에서 왔고, 반면 'magazine'은 아랍어에서 왔다. 영어는 또한 관용어라고 부르는 많은 고정된 표현들이 있다. 관용어의 의미는 각 단어의 정의를 합쳐서 결정될 수 없다. 예를 들어 'break a leg'는 부러지는 것이나 다리와는 연관되어 있지 않다. 또한 당신은 관용어구의 일부를 비슷한 말로 대체할 수 없다. 그래서 'injure a leg'는 더 이상 '행운을 빈다'라는 의미가 아니다.

실력 향상 WORKBOOK

Reading 01

26 – 27쪽

A

1. 외국의 2. 기원, 근원 3. 차용하다
4. 의미하다 5. 그늘 6. 세기, 백 년
7. 필요한 8. 현재의 9. 포함하다
10. 정보 11. …에서 오다 12. 다른
13. 폭탄 14. 군사의 15. 언어
16. 종류

B

1. Many English words are borrowed from other languages.
2. The word umbrella is from Italian.
3. Some English words came from Arabic.
4. It meant a house where people kept different things.

C

1. 영어는 다른 언어들로부터 많은 단어를 차용해 왔다.
2. 예를 들어 'umbrella(우산)'는 이탈리아 어원이다.
3. 이탈리아어 'ombrella'는 작은 그늘을 뜻했다.
4. 그 단어가 17세기에 영어로 도입되었을 때, 그것은 햇빛 가리개를 뜻했다.
5. 하지만 영국에서는 햇빛 가리개보다는 비로부터의 보호가 더 필요했다.
6. 그래서 그 단어는 오늘날의 뜻을 지니게 되었다.
7. 예를 들어 'magazine(잡지)'은 아랍어 'makhazin'에서 왔다.
8. 16세기에 영어가 이 단어를 취하면서 그것은 폭탄이나 다른 군수 물자들을 위한 장소를 뜻하게 되었다.
9. 18세기에 사람들은 그 단어를 여러 다른 종류의 정보가 담긴 작은 책을 뜻하는 데 사용했다.

Reading 02

28 – 29쪽

A

1. 관용어구 2. 잔인한 3. 결합된
4. 정의 5. 종종 6. 흔한, 보통의
7. 실제의 8. …인 것 같다 9 고정시키다
10. 문법의 11. 구조 12. 표현
13. 대체하다 14. 비슷한 15. 구
16. 규칙

B

1. An idiom is a group of words which has its own meaning.
2. Most idioms have fixed grammatical structures.
3. Nor can a word be added to an idiom.
4. An idiom words like a single word.

C

1. 관용어구는 단어들의 집합으로, 단어들의 결합된 정의와는 다른 무언가를 의미한다.
2. 그러므로 관용어구의 의미를 이해하는 것은 종종 쉽지 않다.
3. 예를 들어, 'break a leg'는 흔한 관용어구이다.
4. 각 단어들의 뜻을 취해 그것들을 모아 놓으면, 이 관용어구는 상당히 잔인하게 보인다.
5. 하지만 실제로 그것은 '행운을 빌어.'라는 뜻이다.
6. 대부분의 관용어구들은 어법 구조에 고정되어 있다.
7. "그녀의 손자는 'the apple of her eye(눈에 넣어도 아프지 않다)'이다."라는 말은 '그녀는 손자를 무척 좋아한다.'는 뜻이다.
8. 'The apple of one's eye'는 흔한 표현이다.
9. 관용어구의 일부가 비슷한 단어로 대체될 수 없다.

I Can't See Well

본문 미리보기 QUIZ
64쪽

1 도둑이었다.
2 상황을 이해하여

어휘 자신만만 QUIZ
65쪽

1 promised
2 pay

Reading 01
66쪽

1. c **2.** a **3.** b **4.** The lady will: (Sample) tell the judge what Danband did to her. / be punished because she didn't keep her promise.
The doctor will: (Sample) be punished. / be paid.
The judge will: (Sample) make a wise decision and order the doctor to return her furniture. / tell the lady to pay the doctor the money.

해석 그녀는 시력을 잃었다

아주 먼 옛날, 인도의 작은 마을에 노부인이 살았습니다. 그녀는 갑자기 앞을 못 보게 되었습니다. 시력을 잃게 되어, 그녀는 더 이상 밖에 나가거나 자신의 작은 정원을 돌볼 수 없게 되었습니다. 그녀는 슬펐고, 다시 볼 수 있기를 원했습니다.

노부인은 약에 많은 돈을 썼습니다. 그녀는 여러 의사를 찾아갔습니다. 하지만 그녀는 여전히 보지 못했습니다.

마침내 Danbad라는 이름의 의사가 그녀를 찾아왔습니다. 그는 그녀가 자신에게 많은 돈을 준다면 그녀를 치료해 주겠다고 말했습니다. 그녀는 자신이 치료된 후에 그에게 돈을 주겠다고 약속했습니다. 그래서 그 의사는 노부인을 치료하기 위해 매일 그녀를 찾아왔습니다.

하지만 Danbad는 도둑이었습니다. 매일 그는 노부인의 집에서 무언가를 가져갔습니다. 그는 처음에는 상자들을 가져갔고, 다음에는 의자, 그리고 그 다음에는 탁자까지 가져갔습니다. 하지만 그는 노부인에게 좋은 약을 주었고, 마침내 그녀는 치료되었습니다.

"자, 제게 돈을 주십시오."라고 의사가 말했습니다.

"그럴 수 없소." 노부인이 대답했습니다.

그래서 의사는 그녀를 법정에 데려갔습니다.

해설

1 시력을 회복할 수 없어서 걱정되었을 것이다.

2 여기서 sight는 '시력'이라는 뜻이다.

3 뒤에 이어지는 문장에서 의사가 치료비를 요구하였으므로 치료되었음을 알 수 있다.

4 [해석] 부인은 판사에게 (예시) Danbad가 그녀에게 한 일을 이야기할 것이다. / 약속을 지키지 않았기 때문에 벌을 받을 것이다. 의사는 (예시) 벌을 받을 것이다. / 돈을 받을 것이다. 판사는 (예시) 현명한 판결을 내려 의사로 하여금 부인의 가구를 돌려주라고 명령할 것이다. / 부인에게 의사의 돈을 지불하라고 말할 것이다.

Reading 02
68쪽

1. c **2.** (1) T (2) T (3) F **3.** b
4. blind, judge, doctor, pay, see, return

해석 그들은 법정에 갔다

법정에서 판사는 노부인에게 말했습니다. "의사가 당신을 치료해 주었소. 왜 그에게 돈을 지불하지 않은 것이오? 노부인은 판사에게 말했습니다. "저는 의사에게 제가 잘 볼 수 있게 되면 돈을 지불하겠다고 말했습니다. 하지만 저는 잘 볼 수 없습니다. 제가 앞을 못 보게 되기 전에는 제 집의 탁자, 의자, 상자들을 볼 수 있었습니다. 지금은 텅 빈 벽 만 볼 수 있습니다. 그러니 제가 완전히 치료된 것이 아닙니다."

부인의 이야기를 들은 판사는 (상황을) 이해하고 미소를 지었습니다. "Danbad 선생," 판사가 말했습니다, "만일 부인이 집안의 모든 가구와 다른 물건들을 볼 수 있도록 만들지 못한다면 그녀는 당신에게 무엇도 지불할 필요가 없소."

Danbad는 판사에게 말했습니다. "하루가 더 걸려야겠습니다. 내일이면 노부인은 또렷하게 볼 수 있을 겁니다." 그날 밤 의사는 가서 노부인의 집에서 가져간 물건들을 모두 조용히 제자리에 갖다 놓았습니다.

해설

1 노부인은 재치 있는 말로 판사를 이해시켜 도둑이 훔쳐간 물건을 모두 되돌려 놓도록 만들었다.

2 Danbad는 노부인의 물건들을 되돌려 놓았다.

3 (A) no는 「not + any」의 의미이므로 any가 알맞다. (B) unless는 부정의 뜻을 포함하고 있으므로 can이 알맞다.

4 [해석] Danbad라는 의사가 앞이 안 보이는 한 부인을 치료했다. 하지만 그녀는 의사에게 비용을 지불하지 않았다. 법정에서 판사는 부인의 이야기를 듣고 상황을 이해했다. 그는 의사가 부인의 집에서 물건들을 가져갔다는 것을 알았다. 그는 부인이 사물들을 분명히 볼 수 있을 때까지 지불하지 않아도 된다고 말했다. 의사는 그날 밤 부인의 물건들을 돌려줘야 했다.

Reading Closer

70쪽

A Across ① judge ② understand ③ blind ④ money ⑤ reply

Down ⑥ bare ⑦ furniture ⑧ medicine ⑨ suddenly

B 1. furniture 2. sum 3. reply 4. cure 5. sight

[해석] 1. 그녀는 소파, 침대 및 다른 가구를 샀다. 2. 그 당시에, 그것은 많은 액수의 돈이라고 여겨졌다. 3. 나는 역사 선생님에게 이메일을 보냈지만, 그는 답장을 보내지 않았다. 4. 과학자들은 새로운 약이 암을 치료할 것이라고 주장했다. 5. 그는 시력이 좋지 않아 신문을 읽으려면 안경이 필요하다.

C blind, medicine, thief, court, judge

[해석] 어제 나는 인도의 한 앞이 보이지 않는 여자의 이야기를 읽었다. 나는 그녀를 보게 도울 수 있는 약이 없다는 것이 매우 슬펐다. 그녀가 Danbad라 불리는 의사를 만났을 때 나는 그녀가 마침내 볼 수 있기를 기대했다. 하지만 그 의사는 도둑일 뿐이었다. 그 의사가 그 부인을 법정으로 데려간 것은 매우 불공평했다. 나는 그 부인이 소송에서 질 수도 있다고 생각했다. 하지만 판사는 그 의사가 법의 심판을 받게 했다. 나는 미래에 법정에서 사람들을 돕고 싶다.

실력 향상 WORKBOOK

Reading 01

30-31쪽

A

1. 잃다 2. 시력 3. 갑자기
4. 눈이 먼 5. 더 이상 6. 약
7. 치료하다 8. (돈을) 쓰다 9. 법정
10. 대답하다 11. 치료하다, 대하다 12. 마을
13. 정원 14. 도둑 15. 액수
16. 약속하다

B

1. A long time ago, there lived an old lady in a small town in India.
2. He would cure her if she gave him a large sum of money.
3. The doctor came every day to treat the old lady.
4. He gave the lady good medicine, and she was finally cured.

C

1. 그녀는 갑자기 앞을 못 보게 되었습니다.
2. 시력을 잃게 되어, 그녀는 더 이상 밖에 나가거나 자신의 작은 정원을 돌볼 수 없게 되었습니다.
3. 그녀는 슬펐고, 다시 볼 수 있기를 원했습니다.
4. 노부인은 약에 많은 돈을 썼습니다.
5. 그녀는 여러 의사를 찾아갔습니다. 하지만 그녀는 여전히 보지 못했습니다.
6. 그녀는 자신이 치료된 후에 돈을 주겠다고 약속했습니다.
7. 매일 그는 노부인의 집에서 무언가를 가져갔습니다.
8. 그는 처음에는 상자들을 가져갔고, 다음에는 의자, 그리고 그 다음에는 탁자까지 가져갔습니다.
9. "자, 제게 돈을 주십시오."라고 의사가 말했습니다.
10. "그럴 수 없소." 노부인이 대답했습니다. 그래서 의사는 그녀를 법정에 데려갔습니다.

Reading 02

32-33쪽

A

1. 법정 2. 판사 3. 지불하다
4. 벽 5. 텅 빈 6. 보다
7. 미소 짓다 8. 듣다 9. …하지 않는 한
10. 가구 11. 이해하다 12. 또렷하게
13. 조용히 14. …을 제자리에 갖다 놓다
15. 완전히 16. 전에

B

1. A doctor named Danbad treated a blind lady.
2. The judge heard the lady's story and understood the situation.
3. The judge knew the doctor had taken things from the lady's house.
4. The doctor had to return the lady's things that night.

C

1. "의사가 당신을 치료해 주었소. 왜 그에게 돈을 지불하지 않는 것이오?"
2. 노부인은 판사에게 말했습니다. "저는 의사에게 제가 잘 볼 수 있게 되면 돈을 지불하겠다고 말했습니다."
3. "제가 앞을 못 보게 되기 전에는 제 집의 탁자, 의자, 상자들을 볼 수 있었습니다."
4. "지금은 텅 빈 벽 만 볼 수 있습니다. 그러니 제가 완전히 치료된 것이 아닙니다."
5. 부인의 이야기를 들은 판사는 (상황을) 이해하고 미소를 지었습니다.
6. "Danbad 선생," 판사가 말했습니다, "만일 부인이 집안의 모든 가구와 다른 물건들을 볼 수 있도록 만들지 못한다면 그녀는 당신에게 무엇도 지불할 필요가 없소."
7. Danbad는 판사에게 말했습니다. "하루가 더 걸려야겠습니다."
8. "내일이면 노부인은 또렷하게 볼 수 있을 겁니다."
9. 그날 밤 의사는 가서 노부인의 집에서 가져간 물건들을 모두 조용히 제자리에 갖다 놓았습니다.

What's in Your Mind?

본문 미리보기 QUIZ ········ 72쪽

1 현재 기분에 2 도움이

어휘 자신만만 QUIZ ········ 73쪽

1 doodles 2 participants

Reading 01 74쪽

1. (1) inner (2) meanings (3) mood 2. b 3. a
4. drawings, personality, ambitious, humorous, mood

해석 낙서들은 당신에 대해서 말해준다

당신은 아무 생각 없이 뭔가를 낙서하거나 그린 적이 있는가? 많은 사람들이 회의 혹은 수업 중에 그렇게 한다. 몇몇 사람들은 이런 낙서들이 사람들의 내면세계를 보여준다고 믿고 있다. 이런 생각에 따르면 여러분이 그리는 모양들이 당신의 성격을 보여줄 수 있다.

만약 당신이 삼각형이나 사각형을 그린다면 당신은 논리적인 사고방식을 가지고 있다. 당신은 또한 계획을 잘 짜는 사람이다. 만약 당신이 꽃이나 식물을 그린다면, 당신은 섬세하고, 따뜻하며 친절하다. 화살표나 사다리는 당신이 야심찬 사람이라는 것을 보여준다. 재미있는 얼굴은 훌륭한 유머감각을 의미하며, 반면 못생긴 얼굴은 자신감 부족을 나타낸다.

낙서는 사람들의 사람의 성격뿐 아니라 그들의 현재 기분에 의해서도 영향을 받는다. 따라서 당신은 낙서들의 의미에 대해 유의할 필요가 있다. 만약 당신이 어떤 사람의 현재 기분을 알고 있다면, 그 사람의 낙서의 의미가 더 정확해질 것이다.

해설

1 (1) 낙서(doodle)의 정의와 그 의의에 대해 이야기하고 있다.
(2) 여러 가지 낙서의 의미에 대해 예를 들어 설명하고 있다.
(3) 사람의 기분이 낙서에 미치는 영향에 대해 이야기하고 있다.

2 뒤에 이어지는 구체적인 사례들은 사람들의 '성격'에 관한 것이다.

3 '현재의'라는 뜻으로, 앞에 나온 present와 동의어이다.

4 [해석] 낙서, 즉 생각 없이 그리는 그림은 한 사람의 성격을 보여줄 수 있다. 논리적인 사람은 삼각형이나 사각형을 그리고, 자상한 사람은 꽃이나 식물을 그리고, 야심 있는 사람은 화살과 사다리를 그리며, 유머 감각이 있는 사람은 재미있는 얼굴을 그린다. 또한 기분도 사람들의 낙서에 영향을 미친다.

Reading 02 76쪽

1. c 2. d 3. doodling 4. pay attention, doodled, remembered, daydreaming

해석 낙서하는 사람들도 듣고 있다

누군가 회의 중에 낙서를 하고 있다. 사람들은 이 사람이 주의를 기울이지 않고 있다고 말한다. 이것은 정말로 그러한 경우일까? 새로운 한 연구는 달리 암시한다.

이 연구에서 연구자들은 40명의 참가자들을 두 집단으로 나누었다. 그들은 각 집단에게 짧은 테이프를 듣도록 요청했다. 하지만 그들은 한 집단에게는 들으면서 도형을 몇 개 그리도록 했다. 테이프에서는 한 여자가 생일 파티에 관한 많은 잡담을 했다. 그녀는 8개의 장소 이름을 언급했다. 그녀는 또한 파티에 올 8명의 사람들에 대해서도 말을 했다.

연구자들에게 놀랍게도, 낙서를 한 집단이 정보를 더 잘 기억했다. 그들은 16개의 정보 중에서 평균 7.5개를 기억해냈다. 낙서를 하지 않은 집단은 5.8개의 정보만 기억했다. 연구자들은 낙서가 아마도 참가자들이 공상을 하지 못하게 했을 거라고 말한다. 또한 낙서가 지루한 정보를 듣는 동안 집중하는 데 도움을 주었을 것이다.

해설

1 낙서가 집중력을 방해할 것이라는 생각이 사실은 옳지 않음을 실험을 통해 증명하는 내용의 글이다.

2 낙서와 집중에 관한 실험에서 연구 참가자들은 두 집단으로 나누어졌고, 8개의 다른 장소와 이름을 포함하는 말을 들었다.

3 otherwise는 바로 앞의 내용(People say ... paying attention.)과 반대되는 내용을 가리킨다.

4 일반적인 믿음 : 낙서하는 사람은 주의를 기울이지 않는다.
놀라운 발견 : 듣는 동안 낙서를 한 집단이 낙서를 하지 않은 집단보다 더 잘 기억했다.
결론 : 낙서는 사람들이 공상하는 것을 막아주고 집중하도록 돕는다.

Reading Closer 78쪽

A Across ① lack ② current ③ participant ④ boring

Down ⑤ affect ⑥ daydream ⑦ accurate
⑧ ambitious ⑨ inner

B 1. confidence 2. logical 3. affect 4. suggest
5. divide

[해석] 1. 권투 선수는 몇 번의 싸움에서 진 후 자신감을 잃었다. 2. 나는 문제에 관해 생각했고 논리적인 결정을 했다. 3. 사람들의 태도는 그들이 얼마나 성공할지에 영향을 끼친다. 4. 그 연구의 발견은 낙서가 도움이 된다고 암시한다. 5. 20을 4로 나눈다면 5가 될 것이다.

C personality, attention, accurate, information, focus
[해석] 당신은 아무 생각 없이 뭔가를 낙서하거나 그린 적이 있는가? 많은 사람들은 회의 혹은 수업 중에 그렇게 한다. 낙서는 사람들의 성격과 현재 기분을 보여 줄 수 있다. 몇몇 사람들은 낙서를 하는 사람들이 집중하지 않는다고 생각한다. 하지만 놀랍게도, 최근 한 연구는 이 믿음이 정확하지 않을 수 있다는 것을 보여 준다. 연구에 따르면 낙서를 하는 사람들은 낙서를 하지 않는 사람들보다 실제로 더 많은 정보를 기억할 수 있다. 낙서는 아마도 우리가 공상을 하지 못하게 돕고 더 집중할 수 있게 돕는다.

실력 향상 WORKBOOK

Reading 01

34-35쪽

A

1. 낙서 2. 화살표 3. 정확한
4. 내면의 5. 성격 6. 민감한
7. 정사각형 8. 논리적인 9. 사다리
10. 야심 있는 11. 현재의 12. 부족, 결핍
13. 자신감 14. 기분 15. 모양
16. 영향을 미치다

B

1. People's current mood affects what they doodle.
2. Doodles show people's inner world.
3. If you draw triangles or squares, you have a logical way of thinking.
4. Ambitious people draw arrows and ladders.

C

1. 당신은 아무 생각 없이 뭔가를 낙서하거나 그린 적이 있는가?
2. 많은 사람들이 회의 혹은 수업 중에 그렇게 한다.
3. 몇몇 사람들은 이런 낙서들이 사람들의 내면세계를 보여준다고 믿고 있다.
4. 이런 생각에 따르면 여러분이 그리는 모양들이 당신의 성격을 보여줄 수 있다.
5. 만약 당신이 꽃이나 식물을 그린다면, 당신은 섬세하고, 따뜻하며 친절하다.
6. 화살표나 사다리는 당신이 야심찬 사람이라는 것을 보여준다.
7. 재미있는 얼굴은 훌륭한 유머감각을 의미하며, 반면 못생긴 얼굴은 자신감 부족을 나타낸다.
8. 낙서는 사람들의 성격뿐 아니라 그들의 현재 기분에 의해서도 영향을 받는다.
9. 따라서 당신은 낙서들의 의미에 대해 유의할 필요가 있다.
10. 만약 당신이 어떤 사람의 현재 기분을 알고 있다면, 그 사람의 낙서의 의미가 더 정확해질 것이다.

Reading 02

36-37쪽

A

1. …동안 2. 주의를 기울이다 3. 지루한
4. 참가자 5. 연구 6. 암시하다
7. 달리 8. 연구원 9. 모양
10. 집중하다 11. 언급하다 12. 장소
13. 나누다 14. 기억하다 15. 공상에 잠기다
16. 아마도

B

1. Researchers divided forty participants into two groups.
2. Non-doodlers remembered fewer than 6 pieces of information.
3 People are paying attention while they are doodling.
4 Doodling keeps people from daydreaming, and helps focus.

C

1. 누군가 회의 중에 낙서를 하고 있다.
2. 사람들은 이 사람이 주의를 기울이지 않고 있다고 말한다.
3. 이것은 정말로 그러한 경우일까? 새로운 한 연구는 달리 암시한다.
4. 그들은 각 집단에게 짧은 테이프를 듣도록 요청했다.
5. 하지만 그들은 한 집단에게는 들으면서 도형을 몇 개 그리도록 했다.
6. 테이프에서는 한 여자가 생일 파티에 관한 많은 잡담을 했다.
7. 그녀는 또한 파티에 올 8명의 사람들에 대해서도 말을 했다.
8. 연구자들에게 놀랍게도, 낙서를 한 집단이 정보를 더 잘 기억했다.
9. 그들은 16개의 정보 중에서 평균 7.5개를 기억해냈다.
10. 연구자들은 낙서가 아마도 참가자들이 공상을 하지 못하게 했을 거라고 말한다.
11. 또한 낙서가 지루한 정보를 듣는 동안 집중하는 데 도움을 주었을 것이다.

UNIT 10 Puzzles to Solve

본문 미리보기 QUIZ 80쪽

1 마늘은　　2 바로 알았다.

어휘 자신만만 QUIZ 81쪽

1 screamed　　2 missing

Reading 01 (82쪽)

1. b　**2.** b　**3.** Harry Berry　**4.** garlic, garlic, soup, confuse, king

해석 왕의 수프에 들어간 마늘

옛날에 마늘을 싫어하는 왕이 있었다. 그는 모든 것을 먹기를 좋아했는데 마늘은 아니었다. 어느 날, 그는 점심을 먹기 위해서 식탁에 앉았다. 그는 숟가락을 들어서 수프의 맛을 보고, "누가 내 수프에 마늘을 넣었느냐?"라고 소리쳤다.

왕은 매우 화가 나서 세 명의 궁중 요리사 Noodle Poodle, Harry Berry와 Chilly Billy를 불렀다. 요리사들은 그들이 곤경에 빠졌다는 것을 깨달았다. 그들은 왕의 식당에 들어가기 전에 왕을 혼란스럽게 하기로 결정했다. 그래서 각각의 요리사는 자신의 목에 표지판을 걸었다.

Noodle Poodle: Chilly Billy는 왕의 수프에 마늘을 넣지 않았습니다.

Harry Berry: 제가 왕의 수프에 마늘을 넣었습니다.

Chilly Billy: 제가 왕의 수프에 마늘을 넣었습니다.

요리사들은 표지판 두 개는 진실이고 표지판 한 개는 거짓이라고 말했다. 당신은 누가 왕의 수프에 마늘을 넣었는지 결정할 수 있는가?

해설

1 마늘을 싫어하는 왕의 수프에 누가 마늘을 넣었는지 추론하는 글이므로 '왕에게 내는 수수께끼'가 알맞은 답이다.

2 왕은 수프에 마늘이 들어 있어서 화가 났다.

3 Chilly Billy의 표지판은 거짓, Noodle Poodle과 Harry Berry의 표지판은 진실이다. 두 명의 표지판은 진실이고, 한 명은 거짓이라고 하였으므로, 한 명이 거짓인 경우, 나머지 두 명의 말이 모순되지 않는지 확인한다.

4 [해석] 이야기의 구성

배경: 마늘을 싫어하는 왕이 있었다.

전개: 어느 날 그는 점심을 먹었다.

위기: 누군가 그의 수프에 마늘을 넣어서 그는 화가 났다.

절정: 요리사들은 수수께끼를 내서 왕을 혼란스럽게 하기로 했다.

결말: 알 수 없음.

Reading 02 (84쪽)

1. c　**2.** d　**3.** d　**4.** ring, inspect, prepare, correct, sure

해석 바다에서의 사건

한 오스트리아 배가 섬으로 항해하고 있었다. 선장이 그 배를 점검할 때였다. 그는 손가락이 아파서 자기 반지를 빼두었다. 그는 그것을 그의 침대 옆에 있는 테이블 위에 두었다. 그가 돌아왔을 때 그것은 없어졌다.

선장은 아마도 그의 반지를 가져갔을지도 모르는 세 사람을 떠올렸다. 그는 각자에게 물었다, "당신은 지난 20분 동안 어디에 있었나요?" 요리사는 "저는 부엌에 있었고 저녁 만찬을 준비했습니다."라고 대답했다. 그리고 엔지니어는 말했다, "저는 기관실에서 일하고 있었습니다. 저는 모든 것이 부드럽게 돌아가는지 확인해야 했습니다." 마지막으로 선원이 대답했다, "저는 배의 앞부분에 있었습니다. 저는 깃발이 실수로 거꾸로 되어있어서 그것을 바로잡아야 했습니다."

그 순간 선장은 선원이 그의 반지를 가져갔음을 알아차렸다. 그는 어떻게 확실히 알았을까?

해설

1 수수께끼의 목적은 독자들을 즐겁게 하기 위해서이다.

2 두 문장의 앞뒤의 문맥을 보아 '왜냐하면'이 알맞다.

3 선장은 선원이 범인인지 알았으나 반지를 찾았다는 내용은 나오지 않았다.

4 [해석] 오스트리아 배에서 누군가 선장이 배를 점검하는 동안 그의 반지를 가져갔다. 요리사는 그가 주방에서 저녁 만찬을 준비해야 했다고 말했다. 엔지니어는 기관실을 점검하고 있었다고 말했다. 선원은 거꾸로 된 깃발을 바로잡아야 했다고 말했다. 선장은 선원이 도둑인 것을 확신했다. 오스트리아 국기는 거꾸로 될 수 없기 때문이다.

Reading Closer

86쪽

A
Across ① correct ② scream ③ missing ④ sail ⑤ hate
Down ⑥ royal ⑦ cook ⑧ answer ⑨ confuse ⑩ lift

B 1. island 2. scream 3. decide 4. sail 5. lift
[해석] 1. 미래에 나는 아름다운 섬에서 살고 싶다. 2. 팬들은 그 가수가 무대에서 공연하는 동안 계속해서 소리를 질렀다. 3. 그것들은 둘 다 좋아 보여서 나는 어떤 것을 살지 결정할 수가 없다. 4. 그는 자신의 요트로 전 세계를 항해하고 싶어 했다. 5. 이 탁자를 들어 올리는 것을 도와주시겠어요?

C confuse, royal, hated, trouble, captain
[해석] 이야기 퍼즐 안에 힌트들은 당신을 혼란스럽게 할 수 있지만, 당신은 주의 깊게 생각하여 퍼즐을 풀 수 있다. 'Garlic in the King's Soup'는 한 예이다. 그것은 세 명의 왕궁 요리사들에 관한 것이다. 그들 중에 한 명이 왕의 수프에 마늘을 넣었으나 왕은 마늘을 매우 싫어했다. 그들은 곤경을 벗어나려고 노력했다. 'A Case at Sea'는 다른 예이다. 그것은 배의 선장에 관한 것이다. 누군가 그의 반지를 훔쳤으나 그는 도둑을 찾을 수 있었다.

실력 향상 WORKBOOK

Reading 01

38-39쪽

A

1. 소리치다	2. 왕	3. 몹시 싫어하다
4. 마늘	5. 모든 것	6. …을 제외하고
7. 맛보다	8. 점심	9. 화난
10. 걸다, 매달다	11. 왕궁의	12. 요리사
13. 곤경에 빠져서	14. 거짓의	15. 결정하다
16. 혼란시키다		

B

1. He loved to eat everything, except garlic.
2. The king got very angry because somebody put garlic in his soup.
3. The cooks decided to confuse the king by giving a riddle.
4. So each cook had a sign hanging around his neck.

C

1. 옛날에 마늘을 싫어하는 왕이 있었다.
2. 어느 날, 그는 점심을 먹기 위해서 식탁에 앉았다.
3. 그는 숟가락을 들어서 수프의 맛을 보고, "누가 내 수프에 마늘을 넣었느냐?"라고 소리쳤다.
4. 왕은 매우 화가 나서 세 명의 궁중 요리사 Noodle Poodle, Harry Berry와 Chilly Billy를 불렀다.
5. 요리사들은 그들이 곤경에 빠졌다는 것을 깨달았다.
6. Noodle Poodle: Chilly Billy는 왕의 수프에 마늘을 넣지 않았습니다.
7. Harry Berry: 제가 왕의 수프에 마늘을 넣었습니다.
8. Chilly Billy: 제가 왕의 수프에 마늘을 넣었습니다.
9. 요리사들은 표지판 두 개는 진실이고 표지판 한 개는 거짓이라고 말했다.
10. 당신은 누가 왕의 수프에 마늘을 넣었는지 결정할 수 있는가?

Reading 02

40-41쪽

A

1. 사건	2. 오스트리아의	3. 항해하다
4. 점검하다	5. 준비하다	6. 선장
7. 지난	8. 대답하다	9. 저녁 만찬
10. 실수로	11. 부드럽게	12. 선원
13. 대답하다	14. 바로잡다	15. 깃발
16. 거꾸로		

B

1. It was time for the captain to inspect the ship.
2. He took off his ring because his finger hurt.
3. The cook said he had to prepare dinner in the kitchen.
4. The captain was sure that the seaman was the thief.

C

1. 한 오스트리아 배가 섬으로 항해하고 있었다.
2. 그는 그것을 그의 침대 옆에 있는 테이블 위에 두었다.
3. 그가 돌아왔을 때 그것은 없어졌다.
4. 선장은 아마도 그의 반지를 가져갔을지도 모르는 세 사람을 떠올렸다.
5. 그는 각자에게 물었다, "당신은 지난 20분 동안 어디에 있었나요?"
6. 요리사는 "저는 부엌에 있었고 저녁 만찬을 준비했습니다."라고 대답했다.
7. 그리고 엔지니어는 말했다, "저는 기관실에서 일하고 있었습니다."
8. "저는 모든 것이 부드럽게 돌아가는지 확인해야 했습니다."
9. 마지막으로 선원이 대답했다, "저는 배의 앞부분에 있었습니다."
10. "저는 깃발이 실수로 거꾸로 되어있어서 그것을 바로잡아야 했습니다."
11. 그 순간 선장은 선원이 그의 반지를 가져갔음을 알아차렸다.

UNIT 11 A Story About Land

본문 미리보기 QUIZ ······ 88쪽

1 돌아왔다. 2 원

어휘 자신만만 QUIZ ······ 89쪽

1 price 2 Imagine

Reading 01 90쪽

1. d **2.** a **3.** c **4.** land, walking, setting, fast, starting point

해석 **사람은 얼마나 많은 땅이 필요할까?**

Pahom은 늘 더 많은 땅을 원하는 농부였다. 어느 날 그는 바시키르 족의 땅에 대해 들었다. 그는 거기에서 낮은 가격으로 땅을 살 수 있었다. 그래서 그는 땅을 직접 보기 위해 길을 떠났다. 바시키르 족의 우두머리는 "당신이 하루에 걸어서 돌아볼 수 있는 땅이 당신의 것이 될 것이오. 그 가격은 하루에 1,000루블이오."라고 설명했다.

그 다음날 아침 일찍 Pahom은 걷기 시작했다. 3마일을 곧바로 걷고 난 다음 그는 왼쪽으로 돌았다. 하지만 그의 오른쪽에 있는 땅이 훨씬 더 좋아 보였다. 그는 더 많은 땅을 얻고자 노력하면서 계속 갔다. 그는 출발점에서 멀리 와 있었다. 그때 그는 해가 지고 있다는 것을 깨달았다. 그는 뛰어서 돌아가려 했다. 그는 할 수 있는 한 빠르게 뛰었다.

마침내, Pahom은 막 해가 질 무렵 출발점에 도착했지만, 쓰러져 죽고 말았다. 그의 하인은 무덤을 파서 그를 묻었다. 머리에서 발끝까지의 6피트가 그가 필요로 한 전부였다.

해설

1 무리하게 욕심을 부리다 죽은 Pahom의 이야기를 통해 작가는 지나치게 욕심을 내지 말라는 의도를 전달하고 있다.

2 Pahom은 땅을 사기 위해 바시키르 족을 방문했다.

3 ⓒ grave는 '무덤'이라는 뜻이다.

4 [해석] 이야기의 구성
배경: Pahom은 바시키르족의 싼 땅에 대해 들었다.
전개: 그는 많은 땅을 사기 위해 걷기 시작했다.
위기: 그는 너무 많이 걸어갔고, 해가 지고 있었다.
절정: 그는 할 수 있는 한 빨리 되돌아 뛰었다.
결말: 그는 제시간에 출발 지점에 도착했지만, 죽었다.

Reading 02 92쪽

1. b **2.** (1) F (2) F (3) T **3.** a **4.** shape, largest, triangle, mathematical, circle

해석 **삶을 위한 수학**

Pahom은 더 많은 땅을 얻기 위해 최선을 다했다. 하지만 그는 한 가지 중요한 수학적 사실을 알지 못했다. 이것은 그가 죽은 이유이다. 하루에 60킬로미터를 걸을 수 있다고 상상해 보자. 또한, 직각 삼각형, 정사각형, 원을 만들며 걸을 수 있다고 상상해 보자. 가장 큰 면적의 땅을 얻기 위해 어떤 도형을 만들어야 할까? (파이값은 3이라 가정하자.)

위에서 볼 수 있듯이, 세 개의 도형은 모두 같은 60킬로미터 둘레나 원주를 가지고 있다. 다시 말해, 여러분이 도형의 가장자리를 따라 걷는다면, 여러분은 총 60킬로미터를 걷게 될 것이다. 하지만 면적은 다르다. 원이 가장 큰 면적을 갖는 반면 삼각형이 가장 작은 면적을 갖는다.

여러분이 원을 그리며 60킬로미터를 걷는다면 가장 큰 면적의 땅을 얻을 수 있다. 많은 사람들은 수학이 일상생활에 유용하다는 것을 깨닫지 못한다. 슬프지만 Pahom도 예외가 아니었다.

해설

1 일상생활에서 수학이 유용하다는 사실을 말하고 있다.

2 (1) Pahom은 원을 그리며 걷지 않았다.
(2) 같은 둘레를 가진 직각 삼각형, 정사각형, 원의 넓이가 모두 다르다고 나와 있다.

3 문맥상 '가장 넓은 땅을 얻기 위해서는 원을 그리며 걸어야 한다'는 표현이 되어야 한다.

4 [해석] 어떤 도형의 둘레나 원주가 동일하다면 원이 가장 큰 면적을 지니며 삼각형이 가장 작은 면적을 가진다. Pahom은 이러한 수학적 진실을 알지 못했고, 그래서 그는 원을 그리며 걷지 않았다. 이런 이유로 그는 생명을 잃었다.

Reading Closer 94쪽

A Across ① assume ② bury ③ price ④ total ⑤ chief
Down ⑥ servant ⑦ straight ⑧ imagine ⑨ edge

B 1. edge 2. chief 3. explain 4. assume 5. exception
[해석] 1. 그들은 마을의 가장자리에 학교를 지었다. 2. 새로운 팀장은 내일 도착할 것이다. 3. 그 개념을 다시 한 번 설명

해 주실 수 있어요? 4. 나는 그의 소식을 듣지 못했기 때문에 그가 오지 않을 것이라고 가정한다. 5. 당신은 예외 없이 매주 월요일 회의에 반드시 와야 한다.

C price, shape, amount, math, perimeter

[해석] 누군가 말한다, "당신이 하루에 걸어서 돌아볼 수 있는 땅이 만원의 가격에 당신의 땅이 될 것이다." 당신은 삼각형, 정사각형, 또는 원 모양 같은 특정한 모양으로 보이는 땅을 얻을 수 있다. 가장 많은 양의 땅을 얻기 위해서 당신은 무엇을 고를 것인가? 질문에 답을 한다면, 당신의 수학 기술을 사용해야 한다. 만약 둘레가 같다면 원이 가장 큰 면적을 가질 것이다.

실력 향상 WORKBOOK

Reading 01

42-43쪽

A

1. 농부	2. (해가) 지다	3. 낮은
4. 가격, 값	5. 떠나다	6. 우두머리, 대장
7. 설명하다	8. 도달하다	9. 똑바로
10. 파다	11. 땅	12. 시작점
13. 깨닫다	14. (발)뒤꿈치	15. 하인
16. 하루에		

B

1. So he went off to see the land for himself.
2. The land you can walk around in a day is yours.
3. His servant dug a grave and buried him.
4. Six feet from his head to his heels was all he needed.

C

1. Pahom은 늘 더 많은 땅을 원하는 농부였다.
2. 어느 날 그는 바시키르 족의 땅에 대해 들었다.
3. 그는 거기에서 낮은 가격으로 땅을 살 수 있었다.
4. 그 다음날 아침 일찍 Pahom은 걷기 시작했다.
5. 3마일을 곧바로 걷고 난 다음 그는 왼쪽으로 돌았다.
6. 하지만 그의 오른쪽에 있는 땅이 훨씬 더 좋아 보였다.
7. 그는 더 많은 땅을 얻고자 노력하면서 계속 갔다.
8. 그는 출발점에서 멀리 와 있었다.
9. 그때 그는 해가 지고 있다는 것을 깨달았다.
10. 그는 뛰어서 돌아가려 했다. 그는 할 수 있는 한 빠르게 뛰었다.
11. 마침내, Pahom은 막 해가 질 무렵 출발점에 도착했지만, 쓰러져 죽고 말았다.

Reading 02

44-45쪽

A

1. 수학의	2. 일상생활	3. 슬프게도
4. 중요한	5. 예외	6. 상상하다
7. 원	8. 직각 삼각형	9. 모양
10. …하기 위해	11. 양	12. 가정하다
13. 위에	14. 면적	15. 깨닫다
16. 유용한		

B

1. Pahom tried his best to get more land.
2. But he didn't know one important mathematical fact.
3. Math can be very useful in everday life.
4. The area of a square with a perimeter of 60 is 225.

C

1. 하루에 60킬로미터를 걸을 수 있다고 상상해 보자.
2. 또한, 직각 삼각형, 정사각형, 원을 만들며 걸을 수 있다고 상상해 보자.
3. 가장 큰 면적의 땅을 얻기 위해 어떤 도형을 만들어야 할까? (파이값은 3이라 가정하자.)
4. 위에서 볼 수 있듯이, 세 개의 도형은 모두 같은 60킬로미터 둘레나 원주를 가지고 있다.
5. 다시 말해, 여러분이 도형의 가장자리를 따라 걷는다면, 여러분은 총 60킬로미터를 걷게 될 것이다.
6. 하지만 면적은 다르다.
7. 원이 가장 큰 면적을 갖는 반면 삼각형이 가장 작은 면적을 갖는다.
8. 여러분이 원을 그리며 60킬로미터를 걷는다면 가장 큰 면적의 땅을 얻을 수 있다.
9. 많은 사람들은 수학이 일상생활에 유용하다는 것을 깨닫지 못한다.
10. 슬프지만 Pahom도 예외가 아니었다.

UNIT 12 Can You Hear Me?

본문 미리보기 QUIZ ········· 96쪽

1 않은 것은 아니다.　　2 외의

어휘 자신만만 QUIZ ········· 97쪽

1 dangerous　　2 collects

Reading 01 　98쪽

1. b　**2.** d　**3.** c　**4.** earphones, loudly, hurt, street

해석 이어폰 사용

오늘날 많은 젊은 사람들이 이어폰을 사용한다. 그들은 길거리, 전철, 버스 안에서 그렇게 한다. 그들은 심지어 이어폰을 꽂은 채로 잠이 들기도 한다. 그들은 이어폰 없이는 살 수 없다.

이어폰은 그 자체가 나쁜 것은 아니다. 하지만 높은 음량으로 음악을 틀어 놓으면 위험할 수 있다. 어떤 십 대들은 다른 소음을 듣고 싶지 않아 음악을 너무 크게 틀어 놓는다. 그들은 시끄러운 음악을 매일 몇 시간씩 듣기도 한다. 이것은 그들의 귀에 해가 되고, 그들은 청력에 곧 이상이 생길 수도 있다.

이어폰은 다른 면에서 위험할 수도 있다. 길거리에서 이어폰을 사용하는 것은 특히 좋지 않다. 십 대들이 자신이 좋아하는 음악에 집중하고 있는 동안, 그들은 다른 것들에 주의를 기울이지 않는다. 그들은 거리가 자동차, 자전거, 오토바이, 그리고 사람들로 가득 차 있다는 사실을 잊어버린다.

해설

1 이어폰 사용의 문제점 두 가지를 설명하는 글이다.

2 This는 바로 앞의 문장을 가리킨다.

3 이어지는 내용은 길거리에서 이어폰으로 음악을 들을 때의 위험성에 관한 것이다.

4 [해석] 십 대들은 이어폰을 사용하는 데에 주의해야 한다. 우선 음악을 너무 시끄럽게 틀어 놓으면 안 된다. 시끄러운 음악을 오랫동안 듣는 것은 귀를 손상시킬 수 있다. 또한 그들은 길거리에서 이어폰을 사용하는 것이 사고를 유발할 수 있다는 사실을 기억해야 한다.

Reading 02 　100쪽

1. a　**2.** c　**3.** inner ear　**4.** collects, hit, bones, vibrate, signal

해석 듣기 위한 귀

귀에는 세 개의 주요 부분이 있는데, 그것들은 외이, 중이, 내이이다. 음파는 보이지 않지만, 공기를 통해 이동한다. 외이는 이러한 음파를 공기 중에서 모은다. 그것들은 귀 도관으로 들어가 고막을 향해 이동한다. 음파는 막대가 진짜 드럼을 두드리는 것처럼 고막을 친다.

고막에서의 진동은 중이로 이동한다. 음파가 중이의 미세한 뼈에 도착하면, 그것들도 또한 진동하기 시작한다. 이것은 음파가 내이에 도착하는 것을 돕는다. 내이에는 액체와 수천 개의 작은 털들이 있다. 진동은 작은 털들을 움직이게 한다. 이것이 진동을 신호로 바꾼다. 그 다음에 이 신호가 뇌로 전송된다.

해설

1 귀의 구조와, 소리가 귀를 통해 뇌에 전달되는 경로를 설명하고 있다.

2 외이는 공기 중의 소리를 모으는 역할을 한다.

3 8~10행을 보면 내이에서 이루어지는 과정임을 알 수 있다.

4 [해석] 외이
- 외이는 음파를 모은다.
- 음파는 고막을 두드린다.

중이
- 음파는 미세한 뼈에 도착한다.
- 뼈는 진동하기 시작한다.

내이
- 작은 털의 움직임은 진동을 신호로 바꾼다.

Reading Closer 　102쪽

A Across　① tiny　② street　③ vibrate　④ fluid　⑤ volume

Down　⑥ another　⑦ especially　⑧ inner　⑨ without　⑩ reach

B 1. fluid　2. stick　3. wave　4. reach　5. brain

[해석] 1. 만약 얼음을 가열한다면 그것은 서서히 액체로 변할 것이다.　2. 그 드럼 연주자는 빨간색과 파란색으로 칠해진 스틱을 들고 있었다.　3. 커다란 파도는 아이들이 만든 모래성

을 휩쓸었다. 4. 길을 10분 동안 따라가다 보면 당신은 산 정상에 도착할 것이다. 5. 큰 뇌를 가진 동물은 종종 작은 뇌를 가진 동물보다 더 똑똑하다.

C canal, dangerous, vibrate, tiny, signal
[해석] 이어폰은 당신의 귀 도관으로 바로 소리를 보낸다. 당신이 음악을 너무 크게 연주 할 때 그것들은 당신의 귀에 매우 위험할 수 있다. 음파가 당신의 귀에 도달하면 그것들은 고막이 진동하게 한다. 이 진동은 세 개의 아주 작은 뼈를 통해서 내이로 보내진다. 내이에 있는 작은 털들은 진동을 감지하고 뇌에 신호를 보낸다. 큰 소리는 이 털들을 덜 민감하게 하며 청각 문제를 일으킨다.

실력 향상 WORKBOOK

Reading 01

46–47쪽

A

1. 사용하다	2. 잊다	3. 지하철
4. 잠들다	5. …없이	6. 이어폰
7. 위험한	8. 음량	9. 소음
10. 듣다	11. 다치게 하다	12. 높은
13. 특히	14. …에 집중하다	15. 가장 좋아하는
16. 큰 소리로		

B

1. Today, lots of young people use earphones.
2. They even fall asleep with their earphones on.
3. However, they can be dangerous when playing music at high volumes.
4. They should remember that using earphones on the street can cause accidents.

C

1. 그들은 길거리, 전철, 버스 안에서 그렇게 한다.
2. 그들은 이어폰 없이는 살 수 없다.
3. 이어폰은 그 자체가 나쁜 것은 아니다.
4. 어떤 십 대들은 다른 소음을 듣고 싶지 않아 음악을 너무 크게 틀어 놓는다.
5. 그들은 시끄러운 음악을 매일 몇 시간씩 듣기도 한다.
6. 이것은 그들의 귀에 해가 되고, 그들은 청력에 곧 이상이 생길 수도 있다.
7. 이어폰은 다른 면에서 위험할 수도 있다.
8. 길거리에서 이어폰을 사용하는 것은 특히 좋지 않다.
9. 십 대들이 자신이 좋아하는 음악에 집중하고 있는 동안, 그들은 다른 것들에 주의를 기울이지 않는다.
10. 그들은 거리가 자동차, 자전거, 오토바이, 그리고 사람들로 가득 차 있다는 사실을 잊어버린다.

Reading 02

48–49쪽

A

1. 외부의	2. 막대기	3. 중간의
4. 음파	5. …에 들어가다	6. 신호
7. …을 향하여	8. 고막	9. 진동
10. 변하다	11. 도달하다	12. 아주 작은
13. 액체	14. 뇌	15. 털
16. 이동하다, 여행하다		

B

1. Sound waves cannot be seen, but they travel through the air.
2. The function of the outer ear is collecting sound waves from the air.
3. Sound waves become a signal in the inner ear.
4. Movement of little hairs changes the vibrations into a signal.

C

1. 귀에는 세 개의 주요 부분이 있는데, 그것들은 외이, 중이, 내이이다.
2. 외이는 이러한 음파를 공기 중에서 모은다.
3. 그것들은 귀 도관으로 들어가 고막을 향해 이동한다.
4. 음파는 막대가 진짜 드럼을 두드리는 것처럼 고막을 친다.
5. 고막에서의 진동은 중이로 이동한다.
6. 음파가 중이의 미세한 뼈에 도착하면, 그것들도 또한 진동하기 시작한다.
7. 이것은 음파가 내이에 도착하는 것을 돕는다.
8. 내이에는 액체와 수천 개의 작은 털들이 있다.
9. 진동은 작은 털들을 움직이게 한다.
10. 이것이 진동을 신호로 바꾼다. 그 다음에 이 신호가 뇌로 전송된다.

UNIT 13

Into Space

본문 미리보기 QUIZ ······ 104쪽

1 수성(Mercury) 2 운석에

어휘 자신만만 QUIZ ······ 105쪽

1 reflects 2 footprints

Reading 01 106쪽

1. (1) a (2) c (3) b 2. 2(Earth), 1(Neptune), 3(Mercury) 3. (1) T (2) F (3) T
4. gives off, reflects, close, The Earth

해석 **우리 태양계**

항성(별)은 뜨겁고 불타오르는 대형 기체 덩어리이다. 그것은 빛을 방출한다. 반면 행성은 항성의 주위를 도는 거대한 덩어리이다. 행성은 빛을 방출하지 않지만, 항성으로부터 빛을 반사한다.

태양과 지구는 어떻게 연관되어 있을까? 태양은 항성이고 지구는 행성이다. 태양은 8개의 행성이 있는데 수성, 금성, 지구, 화성, 목성, 토성, 천왕성, 그리고 해왕성이 그것이다. 수성은 태양에 가장 가까이 있다. 매우 뜨거워서 아무것도 거기에서 살 수 없다. 반면, 해왕성은 태양으로부터 너무도 멀리 떨어져 있어서 무척 춥다.

우리는 지구에 살고 있어서 운이 좋다. 우리는 태양에서 너무 가깝지도 않고 너무 멀지도 않다. 태양은 우리에게 빛을 주며, 우리에게 생명도 준다. 태양빛이 없다면 어떤 식물도 자랄 수 없다. 식물이 없이는 또한 어떤 동물도 살 수 없다.

해설

1 단락 1은 항성과 행성의 차이, 단락 2는 태양계의 여덟 행성, 단락 3은 지구에서의 생명에 관해 설명하고 있다.

2 태양에서 멀수록 춥다. 해왕성(Neptune) > 지구(Earth) > 수성(Mercury)

3 (2) 수성(Mercury)이 태양에 가장 가까운 행성이다.

4 [해석] 태양은 항성(별)이다. 그것은 빛을 방출한다. 지구는 행성이다. 그것은 태양 둘레를 돈다. 그것은 태양으로부터의 빛을 반사한다. 행성이 태양에 가까이 있으면 그것은 매우 뜨겁다. 행성이 태양으로부터 멀리 있으면 그것은 차갑다. 지구는 태양으로부터 너무 가깝지도 않고 너무 멀지도 않다. 그래서 지구에 식물들과 동물들이 살 수 있다.

Reading 02 108쪽

1. b 2. c 3. wind, meteor 4. meteors, Venus, poisonous

해석 **달에서 온 편지**

어머니께,

우리는 안전하게 달에 착륙했어요. 우주선을 타고 여기까지 오는데 5시간밖에 안 걸렸어요. 이곳에서 지구 행성은 너무도 아름답게 보여요.

그거 아세요? 우리는 달에서 최초의 발자국들을 보았어요. 달에 처음 온 사람인 닐 암스트롱이 1969년에 그 발자국들을 남겼어요. 우리도 우리의 발자국들을 남겼어요. 그것들을 망가뜨릴 바람이나 비가 없기 때문에 그것들(우리의 발자국들)은 영원히 남아있을 거예요. 하지만 운석이 그것들(발자국들)에 떨어질지도 모르겠어요. 달의 큰 구멍들이 그렇게 해서 만들어졌거든요. 운석이 우리에게 떨어지지 않으면 좋겠어요!

내일 우리는 금성에 갈 예정이에요. 조금 위험할 것 같아 저는 걱정이 돼요. 태양에 아주 가까이 있기 때문에 금성은 뜨거워요. 또한 금성은 두껍고 독성이 있는 구름으로 덮여 있어요.

어떤 나쁜 일도 우리에게 생기지 않기를 희망해요. 곧 편지 또 쓸게요.
사랑하는 소라로부터
추신. 지구에서 저는 36킬로그램이 나가잖아요. 여기서는 고작 6킬로그램이 나가요.

해설

1 우주를 여행 중인 아이가 엄마에게 보내는 엽서이다.

2 I'm afraid라고 말했으므로 걱정과 두려움을 느끼고 있다.

3 바람과 비가 없기 때문에 달 표면에 새긴 발자국들은 사라지지 않을 것이다. 다만 운석이 충돌하면 달 표면에 구멍이 생기므로 사라질 수도 있다.

4 [해석] 오늘의 여행: 달
- 바람과 비가 없음
- 운석에 의해 큰 구멍이 만들어졌다.

내일의 여행: 금성
- 매우 뜨거움
- 두껍고 독성이 있는 구름으로 덮여 있다.

Reading Closer 110쪽

A Across ① Mercury ② closest ③ reflect

④ dangerous ⑤ weigh

Down ① meteor ⑥ Mars ⑦ land ⑧ forever

⑨ plant

B 1. plant 2. land 3. weigh 4. poisonous 5. related

[해석] 1. 너는 이 식물에 일주일에 한 번 물을 주어야 한다. 2. 아이들은 비행기가 착륙하고 이륙하는 것은 보는 것을 좋아한다. 3. 몇몇의 농구 선수들은 체중이 100킬로그램이 넘는다. 4. 그 뱀을 두려워하지 마라, 왜냐면 그것은 독이 없다. 5. 너는 영어와 독일어가 밀접하게 연관된 언어라는 것을 알고 있니?

C spaceship, last, destroy, closest, burn

[해석] 우리는 우주선으로 달에 갈 수 있다. 달에서 우리는, 처음으로 달에 간 사람인 닐 암스트롱의 발자국들을 볼 수 있다. 그것들을 망가뜨릴 바람이나 비가 없으므로 그것들(발자국들)은 그곳에 영원히 남아있을 것이다. 미래에 우리는 지구보다 더 먼 장소를 방문할 수 있을지도 모른다. 예를 들어 우리는 금성이 지구에서 가장 가까워서 그곳으로 가길 원할지도 모른다. 하지만 그곳은 너무 뜨거워서 우리에게 심하게 화상을 입힐 수도 있다.

실력 향상 WORKBOOK

Reading 01

50-51쪽

A

1. 태양계	2. 돌다	3. 타다, 태우다
4. 방출하다	5. 햇빛	6. 반사하다
7. 행성	8. 덩어리	9. 연관시키다
10. 가까운	11. 생명	12. 지구
13. 수성	14. 해왕성	15. 운이 좋은
16. …에서 멀리 떨어진		

B

1. A planet doesn't give off light, but it reflects light from a star.
2. If a planet is far from the Sun, it is cold.
3. The Earth is neither too close nor too far from the Sun.
4. So plants and animals can live on the Earth.

C

1. 항성(별)은 뜨겁고 불타오르는 대형 기체 덩어리이다. 그것은 빛을 방출한다.
2. 반면 행성은 항성의 주위를 도는 거대한 덩어리이다.
3. 태양과 지구는 어떻게 연관되어 있을까?
4. 태양은 항성이고 지구는 행성이다.
5. 태양은 8개의 행성이 있는데 수성, 금성, 지구, 화성, 목성, 토성, 천왕성, 그리고 해왕성이 그것이다.
6. 수성은 태양에 가장 가까이 있다. 매우 뜨거워서 아무것도 거기에 살 수 없다.
7. 반면, 해왕성은 태양으로부터 너무도 멀리 떨어져 있어서 무척 춥다.
8. 우리는 지구에 살고 있어서 운이 좋다.
9. 태양은 우리에게 빛을 주며, 우리에게 생명도 준다.
10. 태양빛이 없다면 어떤 식물도 자랄 수 없다. 식물이 없이는 또한 어떤 동물도 살 수 없다.

Reading 02

52-53쪽

A

1. 발생하다	2. 착륙하다	3. 안전하게
4. 영원히 지속되다	5. 우주선	6. 아름다운
7. 파괴하다	8. 발자국	9. 운석, 별똥별
10. 무게가 …이다	11. 두려워하는	12. 위험한
13. …으로 덮이다	14. 두꺼운	15. 독이 있는
16. 구름		

B

1. It took only five hours to get here by spaceship.
2. The planet Earth looks so beautiful from up here.
3. I am afraid it will be a little dangerous.
4. Venus is covered with thick and poisonous clouds.

C

1. 우리는 안전하게 달에 착륙했어요.
2. 그거 아세요? 우리는 달에서 최초의 발자국들을 보았어요.
3. 달에 처음 온 사람인 닐 암스트롱이 1969년에 그 발자국들을 남겼어요.
4. 그것들을 망가뜨릴 바람이나 비가 없기 때문에 그것들(우리의 발자국들)은 영원히 남아있을 거예요.
5. 하지만 운석이 그것들(발자국들)에 떨어질지도 모르겠어요.
6. 달의 큰 구멍들이 그렇게 해서 만들어졌거든요.
7. 운석이 우리에게 떨어지지 않으면 좋겠어요!
8. 내일 우리는 금성에 갈 예정이에요.
9. 태양에 아주 가까이 있기 때문에 금성은 뜨거워요.
10. 어떤 나쁜 일도 우리에게 생기지 않기를 희망해요. 곧 편지 또 쓸게요.
11. 지구에서 저는 36킬로그램이 나가잖아요. 여기서는 고작 6킬로그램이 나가요.

UNIT 14 Colors Talk

본문 미리보기 QUIZ
112쪽

1 중국　　2 파란

어휘 자신만만 QUIZ
113쪽

1 celebrate　　2 scatter

Reading 01
114쪽

1. c　**2.** c　**3.** a　**4.** good luck, South Africa, courage, lack

해석 **색깔은 다른 의미들을 가지고 있다**

색깔은 다른 문화마다 다른 의미를 지니고 있다. 그래서 여러분은 색깔을 사용하기 전에 신중히 생각해야 한다. 여러분이 가장 좋아하는 색깔이, 다른 문화의 사람은 좋아하지 않는 것일 수도 있다.

빨간색을 예로 들어보자. 중국에서는 빨간색이 행운을 의미한다. 그래서 그것은 사람들이 특별한 행사를 축하할 때 종종 사용된다. 하지만 남아프리카 공화국에서 빨간색은 슬픔의 색이다. 남아프리카 공화국 사람들은 가족 구성원이 죽었을 때 빨간색을 사용한다.

노란색은 문화적 차이를 보여 주는 또 다른 색이다. 예를 들어, 일본에서는 노란색이 용기를 상징한다. 일본의 고대 무사들은 용기의 표시로 노란 꽃을 가슴에 달았다. 반면 몇몇 서구 국가들에서는 노란색이 용기 부족을 의미한다. 어떤 사람이 노랗다고 말하면, 그 사람이 무엇을 하기에 너무 겁을 낸다는 의미이다.

해설

1 같은 색이라도 문화마다 의미가 다르다는 내용이다.

2 일본의 무사들은 승리를 축하할 때가 아니라 용기를 나타내기 위해 노란 꽃을 달았다.

3 앞문장에 대한 구체적인 예를 드는 것이므로 for example이 알맞다.

4 [해석] 색깔의 다른 의미

예 1. 빨강: 중국에서는 행운을 의미한다. vs. 남아프리카 공화국에서는 슬픔을 의미한다.

예 2. 노랑: 일본에서는 용기를 의미한다. vs. 일부 서구에서는 용기 부족을 의미한다.

Reading 02
116쪽

1. a　**2.** (1) F (2) T (3) F　**3.** b　**4.** waves, hits, particles, shorter, blue

해석 **하늘을 올려다보세요**

하늘은 파랗다. 여러분은 왜 그런지 궁금해한 적이 있는가? 태양으로부터 오는 빛은 하얗게 보인다. 하지만 무지개의 색깔들은 모두 그 빛 안에 숨어있다. 우리가 이 모든 색깔들을 맨눈으로 볼 수는 없다. 하지만 빛이 프리즘을 통과하면, 우리는 이 모든 아름다운 색깔들을 볼 수 있다.

하늘이 왜 파란지를 두 가지가 설명해 준다. 먼저, 빛은 파동으로 이동한다. 파란 부분은 짧고 바쁜 파동으로 움직인다. 빨간색과 같은 다른 부분은 길고 느린 파동으로 움직인다. 두 번째로, 공기 중의 기체와 입자들이 빛을 산란시킨다. 태양 빛이 지구에 가까이 오면, 그것은 사방으로 흩어진다. 파란 부분은 짧고 작은 파동으로 움직이기 때문에 다른 색보다 더 많이 산란한다. 그러므로 다른 색들이 지구에 도착하는 동안 파란 부분이 하늘에 더 많이 남아있게 된다. 이것이 우리가 하늘에서 파란색을 볼 수 있는 이유이다.

해설

1 하늘이 파랗게 보이는 이유를 설명하는 글이다.

2 (1) 태양빛은 하얗게 보이지만, 프리즘을 통과하면 여러 가지 색으로 보인다.

(3) 빛의 빨간 부분은 길고 느린 파장이다.

3 앞에서 파란 부분의 파장과 주기가 짧다고 했다.

4 [해석] 빛은 파동으로 이동한다. 파란 부분은 짧고 바쁜 파동으로 움직인다. 태양에서 오는 빛은 공기 중의 기체나 입자들에 부딪치면 산란된다. 파란 부분은 그 파동이 다른 부분들보다 더 짧고 작기 때문에 더 많이 산란된다. 그것이 하늘이 파랗게 보이는 이유이다.

Reading Closer
118쪽

A Across ① warrior ② occasion ③ die ④ scared ⑤ celebrate

Down ⑥ particle ⑦ remain ⑧ wonder ⑨ scatter ⑩ busy

B 1. scatter 2. courage 3. difference 4. celebrate 5. explain

[해석] 1. 그 제빵사는 케이크의 윗부분에 견과류를 흩뿌릴 것이다. 2. 그 소년은 소녀에게 말을 건넬 용기가 없었다. 3. 가격은 두 상품의 주요 차이점이다. 4. 전 세계 사람들은 그들의 생일을 다르게 축하한다. 5. 나는 이해하지 못해서 선생님께 다시 설명을 요청했다.

C different, luck, sadness, Blue, light

[해석] 색깔은 다른 문화마다 다른 의미를 지니고 있다. 예를 들어 빨간색은 중국에서 행운을 의미하는 반면 남아프리카 공화국에서 빨간색은 슬픔을 의미한다. 흥미롭게도 사람들은 몇 가지 색을 아주 좋아하는 것처럼 보인다. 파란색은 세계적으로 사람들이 가장 좋아하는 색이다. 공기 중에서 빛이 이동하는 방식 때문에 모든 사람은 파란 하늘을 본다. 또한, 파란색은 전 세계적으로 희망, 평화, 그리고 깨끗함의 신호다.

실력 향상 WORKBOOK

Reading 01

54-55쪽

A

1. 겁먹은	2. 의미	3. 문화
4. 생각하다	5. 주의 깊게	6. 아주 좋아하는
7. 운	8. 축하하다	9. (특별한) 행사, 때
10. 슬픔	11. 차이	12. 승리
13. 용기	14. 고대의	15. 전사
16. 가슴		

B

1. It is often used when people celebrate special occasions.
2. South Africans use the color red when a family member dies.
3. Yellow is another color that shows cultural differences.
4. In some Western countries, yellow means a lack of courage.

C

1. 색깔은 다른 문화마다 다른 의미를 지니고 있다.
2. 그래서 여러분은 색깔을 사용하기 전에 신중히 생각해야 한다.
3. 여러분이 가장 좋아하는 색깔이, 다른 문화의 사람은 좋아하지 않는 것일 수도 있다.
4. 빨간색을 예로 들어보자.
5. 중국에서는 빨간색이 행운을 의미한다.
6. 하지만 남아프리카 공화국에서 빨간색은 슬픔의 색이다.
7. 예를 들어, 일본에서는 노란색이 용기를 상징한다.
8. 일본의 고대 무사들은 용기의 표시로 노란 꽃을 가슴에 달았다.
9. 만약 여러분이 어떤 사람이 노랗다고 말하면, 그 사람은 무엇을 하기에 너무 겁을 낸다는 의미이다.

Reading 02

56-57쪽

A

1. 도달하다	2. 하늘	3. 그러므로
4. 무지개	5. 숨다	6. 맨눈
7. 통과하다	8. 설명하다	9. 이동하다
10. (아주 작은) 입자	11. 분주한, 바쁜	12. 가까운
13. 방향	14. 남다	15. 느린, 게으른
16. 산란시키다, (흩)뿌리다		

B

1. But all the colors of the rainbow are hidden in the light.
2. We cannot see all these colors with the naked eye.
3. The blue part travels in short, busy waves.
4. The light from the Sun is scattered when it hits the gases and particles in the air.

C

1. 하늘은 파랗다. 여러분은 왜 그런지 궁금해한 적이 있는가?
2. 태양으로부터 오는 빛은 하얗게 보인다.
3. 하지만 빛이 프리즘을 통과하면, 우리는 이 모든 아름다운 색깔들을 볼 수 있다.
4. 하늘이 왜 파란지를 두 가지가 설명해 준다. 먼저, 빛은 파동으로 이동한다.
5. 빨간색과 같은 다른 부분은 길고 느린 파동으로 움직인다.
6. 두 번째로, 공기 중의 기체와 입자들이 빛을 산란시킨다.
7. 태양 빛이 지구에 가까이 오면, 그것은 사방으로 흩어진다.
8. 파란 부분은 짧고 작은 파동으로 움직이기 때문에 다른 색보다 더 많이 산란한다.
9. 그러므로 다른 색들이 지구에 도착하는 동안 파란 부분이 하늘에 더 많이 남아있게 된다.
10. 이것이 우리가 하늘에서 파란색을 볼 수 있는 이유이다.

UNIT 15 Say Cheese!

본문 미리보기 QUIZ ··· 120쪽

1 관광객들에 2 로마제국 시대에

어휘 자신만만 QUIZ ··· 121쪽

1 remaining 2 accidentally

Reading 01 122쪽

1. c **2.** (1) T (2) F (3) T **3.** b **4.** farmers, cheese, cheese industry, tourists

해석 **스위스 치즈 퐁뒤**

퐁뒤는 가장 유명한 스위스 치즈 요리이다. 이 이름은 '녹다'를 뜻하는 프랑스어 동사 fondre에서 온 것이다. 이 요리의 기원은 확실하지 않지만, 오랫동안 스위스의 농부들은 퐁뒤를 즐겨왔다. 그들에게 퐁뒤는 여분의 치즈와 남은 빵을 처리하는 훌륭한 방법이다.

1950년대에 스위스의 치즈 산업은 어려운 시기를 겪고 있었다. 그래서 이 요리는 장려되었다. 관광객들은 퐁뒤를 매우 좋아했으며, 곧 이 요리는 전 세계적으로 인기가 많아졌다.

퐁뒤를 즐기기 위해서 식탁 주위에 둘러앉아라. 식탁 중앙에는 작은 버너 위에 냄비를 둔다. 긴 포크를 이용하여 한 조각의 빵을 집어서 냄비 안의 녹인 치즈에 담근다. 혀나 입술이 포크에 닿게 해서는 안 된다. 게다가, 두 번 담그기는 피해야 한다. 빵을 한 번 베어 물었다면, 남은 빵을 치즈 소스에 다시 담그지 않아야 한다.

해설

1 스위스의 치즈 요리인 퐁뒤의 역사와 먹는 방법에 대한 글이다.

2 (2) 냄비에 넣어 가열하는 것은 치즈이다. 빵은 치즈를 녹인 후 찍어 먹는 음식 재료 중 하나이다.

3 앞문장에서 퐁뒤를 먹을 때 하지 말아야 할 행동에 대해 언급한 뒤, 빈칸 뒤에서도 역시 하지 말아야 할 행동을 추가로 말하고 있다.

4 [해석] 퐁뒤는 스위스의 치즈 요리이다. 이 요리는 스위스 농부들에게 있어 여분의 치즈를 처리하는 좋은 방법이었다. 치즈 산업이 어려움을 겪었을 때, 퐁뒤가 장려되었고, 관광객들 덕분에 이것이 세계적으로 인기를 끌었다. 이 요리를 즐기기 위해서는 적절한 에티켓을 알고 있어야 한다.

Reading 02 124쪽

1. c **2.** an animal's stomach **3.** b
4. history, accidentally, solid, Ancient, traded

해석 **치즈의 역사**

사람들은 수천 년 동안 치즈를 만들어 왔다. 하지만 누구도 첫 치즈를 만든 사람과 그것을 만든 방법을 알지는 못한다. 전설에 따르면 우유가 동물들의 위장에 보관되었을 때 우연히 첫 치즈가 만들어졌다고 한다. 용기의 한 효소가 우유를 액체와 고체로 분리되게 했다. 우유의 고체 부분이 치즈가 되었다.

치즈는 7,000년 전만큼이나 일찍 유럽과 중동 전 지역을 거쳐 만들어졌다. 고대 수메르인들의 기록들은 치즈를 묘사하는 것처럼 보이고 고대 이집트 무덤의 벽화는 치즈를 만드는 법을 보여준다. 로마제국 시대에 치즈는 인기가 있었다. 줄리어스 시저가 권력을 잡았을 때 수백 종류의 치즈가 생산되어 로마제국과 그 너머에 걸쳐 거래가 되었다. 아마 오늘날 가장 전통적인 이탈리아 피자에 치즈가 올라가 있는 것은 당연한 일이다.

해설

1 치즈가 어떻게 발견되었고 발전했는지에 대한 글이다.

2 앞 문장을 보면 an animal's stomach에 우유를 저장한다는 것을 알 수 있다.

3 뒤에 나오는 내용에 다양한 종류의 치즈가 만들어졌고 널리 거래되었다는 말이 나오는 것을 보면 치즈가 인기가 있었음을 알 수 있다.

4 [해석] 치즈는 긴 역사를 가지고 있다. 첫 치즈는 우유가 용기에서 한 효소에 의해서 액체와 고체로 분리되었을 때 우연히 만들어졌다고 알려져 있다. 우유의 고체 부분은 치즈가 되었다. 고대 기록들과 그림들은 치즈가 수천 년 전부터 만들어졌다고 보여준다. 줄리어스 시저가 로마를 통치했을 때 많은 종류의 치즈가 만들어졌고 널리 거래되었다.

Reading Closer 126쪽

A Across ① store ② cheese ③ dip ④ leftover ⑤ trade
Down ⑥ legend ⑦ excellent ⑧ separate ⑨ extra ⑩ melt

B 1. liquid 2. separate 3. store 4. origin 5. avoid

[해석] 1. 만약 얼음이 녹는다면 액체로 변할 것이다. 2. 때때로 사실과 허구를 구별하는 것은 어렵다. 3. 당신은 남은 빵을 냉장고에 보관해야 한다. 4. 과학자들은 우주의 기원에 관심이 있다. 5. 나는 시장이 붐비기 때문에 토요일에 그곳에 가는 것을 피하려고 한다.

C legend, created, solids, popular, melted

[해석] 치즈는 오랜 시간 동안 우리와 함께였다. 치즈는 7,000년 전만큼이나 일찍 만들어졌다. 전설에 따르면, 첫 치즈는 한 효소가 우유를 액체와 고체로 분리하는 것을 도왔을 때 우연히 만들어졌다. 고대 수메르인들, 이집트인들, 그리고 로마인들은 치즈를 즐겼다. 오늘날 치즈는 많은 요리에 이용된다. 인기 있는 요리 중의 하나는 스위스의 유명한 요리인 퐁뒤이다. 사람들은 녹인 따뜻한 치즈에 빵을 살짝 담근다.

실력 향상 WORKBOOK

Reading 01

58-59쪽

A

1. 요리	2. 즐기다	3. 산업
4. 기원	5. 확실한	6. 오랫동안
7. 훌륭한	8. 먹다 남은	9. 남은
10. 장려하다	11. 추가의	12. 관광객
13. 혀	14. 녹다	15. 피하다
16. 살짝 담그다		

B

1. Fondue is one way to consume extra cheese in Switzerland.
2. Tourists loved fondue, and soon the dish became popular around the world.
3. A long fork is used to dip food into the cheese sauce.
4. In the middle of the table, put a pot over a small burner.

C

1. 퐁뒤는 가장 유명한 스위스 치즈 요리이다.
2. 이 이름은 '녹다'를 뜻하는 프랑스어 동사 fondre에서 온 것이다.
3. 이 요리의 기원은 확실하지 않지만, 오랫동안 스위스의 농부들은 퐁뒤를 즐겨왔다.
4. 그들에게 퐁뒤는 여분의 치즈와 남은 빵을 처리하는 훌륭한 방법이다.
5. 1950년대에 스위스의 치즈 산업은 어려운 시기를 겪고 있었다. 그래서 이 요리는 장려되었다.
6. 퐁뒤를 즐기기 위해서 식탁 주위에 둘러앉아라.
7. 긴 포크를 이용하여 한 조각의 빵을 집어서 냄비 안의 녹인 치즈에 담근다.
8. 혀나 입술이 포크에 닿게 해서는 안 된다. 게다가, 두 번 담그기는 피해야 한다.
9. 빵을 한 번 베어 물었다면, 남은 빵을 치즈 소스에 다시 담그지 않아야 한다.

Reading 02

60-61쪽

A

1. 아무도 …않다	2. …에 따르면	3. 전설
4. 그 너머에	5. 우연히	6. 저장[보관]하다
7. 위(장)	8. 전통의	9. 액체
10. 고체	11. 분리하다	12. …전체에 걸쳐서
13. 기록	14. 효소	15. 거래[무역]하다
16. 권력을 잡고 있는		

B

1. Cheese has a long history.
2. It is believed that the first cheese was made accidentally.
3. The solid part of the milk became cheese.
4. When Julius Caesar ruled Rome, many kinds of cheese were made.

C

1. 사람들은 수천 년 동안 치즈를 만들어 왔다.
2. 하지만 누구도 첫 치즈를 만든 사람과 그것을 만든 방법을 알지는 못한다.
3. 전설에 따르면 우유가 동물들의 위장에 보관되었을 때 우연히 첫 치즈가 만들어졌다고 한다.
4. 용기의 한 효소가 우유를 액체와 고체로 분리되게 했다.
5. 우유의 고체 부분이 치즈가 되었다.
6. 치즈는 7,000년 전만큼이나 일찍 유럽과 중동 전 지역을 거쳐 만들어졌다.
7. 고대 수메르인들의 기록들은 치즈를 묘사하는 것처럼 보이고 고대 이집트 무덤의 벽화는 치즈를 만드는 법을 보여준다.
8. 로마제국 시대에 치즈는 인기가 있었다.
9. 줄리어스 시저가 권력을 잡았을 때 수백 종류의 치즈가 생산되어 로마제국과 그 너머에 걸쳐 거래가 되었다.
10. 아마 오늘날 가장 전통적인 이탈리아 피자에 치즈가 올라가 있는 것은 당연한 일이다.

UNIT 16

A Broken Promise

본문 미리보기 QUIZ 128쪽

1 아이들로부터 2 노인이

어휘 자신만만 QUIZ 129쪽

1 kindness 2 turned

Reading 01 130쪽

1. a **2.** c **3.** (1) F (2) T (3) F **4.** (Sample) open both the boxes, When he opened one box, it was full of gold. But as he opened the other box, he was punished.

해석 **그는 상자를 두 개 받았다**

옛날 옛적에, 아이들 몇 명이 해변에서 놀고 있었는데, 그때 그들은 거북이를 한 마리 발견했다. 그들은 거북이를 괴롭히기 시작했다. 얼마 후에, 젊은 남자가 와서 그들에게 "그만하렴!"이라고 말했다. 아이들은 도망쳤다.

"정말 당신의 친절에 감사드립니다. 저는 정말로 지금 멋진 궁전으로 당신을 초대하고 싶습니다."라고 거북이가 말했다. 젊은 남자가 거북이 등에 타자마자, 그는 바닷속에 있는 비밀의 궁전으로 안내되었다. 그가 궁전에 도착했을 때, 그는 매우 놀랐다. 그 궁전은 매우 아름다웠다.

거북이들의 왕은 그를 위해 잔치를 열었다. 그는 그토록 멋진 잔치를 본 적이 없었다. 그는 거기서 성대한 대접을 받았고, 모든 것에 매우 만족했다. 그는 이곳보다 더 좋은 곳은 없을 거라고 생각했다.

그가 떠날 때, 거북이가 말했다. "나는 당신에게 상자 두 개를 주려고 하는데, 당신은 오직 이 상자 중에서 하나만 열어볼 수 있어요. 당신은 둘 다 열어봐서는 안돼요. 잊지 마세요!"

해설

1 "He thought there was no other place nicer than that one."(11행)으로 보아, 행복하게 느꼈을 것이다.

2 앞에서 no other place라고 했으므로, 여기서 that one은 두 번째 단락에 있는 the palace를 가리킨다.

3 (1) 젊은 남자가 거북이를 어린 아이들로부터 구해냈다. (3) 세 번째 단락으로 보아, 젊은 남자는 왕에게 환대를 받았다.

4 [해석] (예시) 그는 두 개의 상자를 열었을 것이다. 그가 상자 하나를 열었을 때, 그것은 금으로 가득 차 있었다. 그러나 그가 나머지 다른 상자를 열었을 때, 그는 벌을 받았다.

Reading 02 132쪽

1. d **2.** c **3.** b **4.** bullied, thanked, welcomed, broke, regretted

해석 **그는 약속을 어겼다**

"알았어요. 오직 하나만 열어 볼게요."라고 젊은 남자는 약속했다. 그가 떠날 때, 많은 거북이들이 그에게 작별인사를 했다.

집에 도착했을 때, 그는 두 개의 상자 중에서 더 큰 상자를 열었다. 놀랍게도 그 상자에는 많은 양의 금이 있었다. "맙소사!"라고 그는 크게 말했다. 그는 이제 부자가 되었다. 그는 "나머지 상자도 돈으로 가득 차 있음에 틀림없어."라고 생각했다. 그 상자를 열어보지 않고는 참을 수가 없어서, 그는 약속을 깨고 그것을 열어보았다.

그가 상자를 열자마자, 그는 노인이 되었다. 그의 머리카락은 하얗게 되었고 그의 얼굴은 주름으로 가득 찼다. 그는 80세가 넘은 노인처럼 보였다. 이 모든 것이 순식간에 일어났다. 나중에 그는 그가 했던 것을 후회했다. "단지 내가 간단한 약속을 어겼기 때문에…"라고 그는 말했지만, 이미 너무 늦었다.

해설

1 두 개의 상자 중에서 하나만 열어보겠다는 약속을 깨서 노인이 된 젊은 남자의 이야기이다.

2 상자 안에는 많은 금이 있었으므로, 놀라움을 나타내는 말이 필요하다.

3 젊은 남자는 약속을 지키지 않고 상자 두 개를 모두 열어서 노인으로 변하게 되었다.

4 [해석] 젊은 남자는 아이들에게서 괴롭힘을 당하는 거북이를 구했다. 그 거북이는 그에게 감사하며 바닷속 궁전으로 데리고 갔다. 그는 거기서 환대를 받았고, 떠날 때 상자 두 개를 받았다. 거북이는 그에게 두 개 중에서 오직 한 개만 열어보라고 말했다. 그 젊은 남자는 집에서 상자 하나를 열었다. 그것은 금으로 가득 차 있었다. 그는 약속을 어기고 나머지 상자도 열었다. 그는 노인이 되었고 그가 했던 것을 후회했다.

Reading Closer 134쪽

A Across ① appreciate ② regret ③ palace ④ wrinkle
Down ⑤ feast ⑥ break ⑦ crowd ⑧ bully ⑨ rich

B 1. secret 2. appreciate 3. regret 4. stand 5. crowd

[해석] 1. 스파이는 그의 상관으로부터 비밀 메시지를 받았다. 2. 나는 네가 주말에 날 도와줘서 정말로 고맙다. 3. 만약 네가 지금 최선을 다하지 않는다면 너는 나중에 후회할 것이다. 4. 여름에 사람들은 때때로 극심한 더위를 견뎌야만 한다. 5. 공원에 많은 군중들이 있었다.

C turtle, king, gold, promise, wrinkled

[해석] "A Broken Promise"는 한 젊은 남자가 거북이를 돕고 바닷속을 여행한 이야기이다. 그는 상자 두 개를 받았다. 거북이의 왕은 그에게 그중 오직 하나만 열라고 말했다. 첫 번째 상자에는 많은 금이 있었다. 젊은 남자는 더 많은 것을 원했다. 그래서 그는 약속을 어기고 다른 것을 열었다. 그는 흰 머리카락과 주름진 얼굴의 노인이 되었다. 나는 우리가 너무 많은 것을 원하면 안 된다는 것을 배웠다.

실력 향상 WORKBOOK

Reading 01-02

62-64쪽

A

1. 어기다 2. 비밀 3. 떠나다
4. …하자마자 5. 감사하다 6. 친절함
7. 견디다 8. 멋진 9. 초대하다
10. 후회하다 11. 도착하다 12. 궁전
13. 순식간에 14. 연회, 잔치 15. 받다
16. 괴롭히다

B

1. I really would like to invite you to a wonderful palace now.
2. When he arrived at the palace, he was very surprised.
3. As soon as he opened the box, he became an old man.
4. He became an old man and regretted what he had done.

C

1. 옛날 옛적에, 아이들 몇 명이 해변에서 놀고 있었는데, 그때 그들은 거북이를 한 마리 발견했다.
2. 그들은 거북이를 괴롭히기 시작했다.
3. 얼마 후에, 젊은 남자가 와서 그들에게 "그만하렴!"이라고 말했다.
4. "정말 당신의 친절에 감사드립니다."라고 거북이가 말했다.
5. 젊은 남자가 거북이 등에 타자마자, 그는 바닷속에 있는 비밀의 궁전으로 안내되었다.
6. 그 궁전은 매우 아름다웠다. 거북이들의 왕은 그를 위해 잔치를 열었다.
7. 그는 거기서 성대한 대접을 받았고, 모든 것에 매우 만족했다.
8. 그는 이곳보다 더 좋은 곳은 없을 거라고 생각했다.
9. 그가 떠날 때, 거북이가 말했다. "나는 당신에게 상자 두 개를 주려고 하는데, 당신은 오직 이 상자 중에서 하나만 열어볼 수 있어요."
10. "당신은 둘 다 열어봐서는 안돼요. 잊지 마세요!"
11. "알았어요. 오직 하나만 열어 볼게요."라고 젊은 남자는 약속했다.
12. 그가 떠날 때, 많은 거북이들이 그에게 작별인사를 했다.
13. 집에 도착했을 때, 그는 두 개의 상자 중에서 더 큰 상자를 열었다.
14. 놀랍게도 그 상자에는 많은 양의 금이 있었다.
15. "맙소사!"라고 그는 크게 말했다. 그는 이제 부자가 되었다.
16. 그는 "나머지 상자도 돈으로 가득 차 있음에 틀림없어."라고 생각했다.
17. 그 상자를 열어보지 않고는 참을 수가 없어서, 그는 약속을 깨고 그것을 열어보았다.
18. 그의 머리카락은 하얗게 되었고, 그의 얼굴은 주름으로 가득 찼다.
19. 그는 80세가 넘은 노인처럼 보였다.
20. 나중에 그는 그가 했던 것을 후회했다.
21. "단지 내가 간단한 약속을 어겼기 때문에…"라고 그는 말했지만, 이미 너무 늦었다.

정답은
이 안에
있어!